Se este livro servisse para trazer ac
dada de histórias como a de José e de Rute, tão vulgarmente abordadas pela superfície, já serviria o seu propósito. Contudo, histórias conhecidas como essas, quando bem abordadas como nesta obra, trazem novas perspectivas sobre assuntos que temos dificuldade em conciliar: trabalho e descanso. O autor traz todos esses conceitos à luz do Deus que os criou, e não é possível terminar este livro sem um desejo de viver mais à luz de uma obediência para a qual o Criador nos fez.

Ana Rute Cavaco

Esposa de Tiago, mãe de Maria, Marta, Joaquim e Caleb

Trabalho, propósito e descanso preenche uma lacuna importante na literatura cristã brasileira. Bernardo aproxima-se do texto bíblico com integridade e humildade, reconhecendo tanto as limitações quanto o potencial do trabalho humano de contribuir com a plenitude de vida estabelecida por Deus. Ao explorar os papéis da esperança, do descanso e do chamado de Jesus em nossa vida, Bernardo amplia nosso entendimento sobre trabalho e nos protege de uma interpretação triunfalista e egocêntrica das Escrituras. Leitura fundamental para quem deseja enxergar sua labuta diária à luz da mensagem de salvação que encontramos nas páginas da Bíblia.

Gustavo H. R. Santos

Gerente de projetos em A Rocha International, doutorando na Faculdade de Religião e Teologia da Vrije Universiteit Amsterdam e pesquisador afiliado na Vancouver School of Theology

A temática desta obra tem permeado conversas ao redor da mesa entre amigos, aconselhamentos pastorais e atendimentos psicológicos. A busca de significado, os dilemas éticos, os conflitos relacionais, os adoecimentos emocionais e espirituais, o cuidado com o tempo e a saúde, e assim por diante. A maior parte de nossa vida é dedicada ao trabalho em todas as suas formas, remuneradas ou não. Neste livro, meu amigo Bernardo Cho resgata de maneira profunda o foco sobre o tema a partir de nossa identidade como cristãos, para que dediquemos o trabalho cotidiano ao cumprimento de nossa parte neste "exercício de esperança", na narrativa redentora de Deus em instaurar o *shalom* ao longo da história. Recomendo a leitura com alegria, para que em meio a tantos estímulos e desafios Deus preserve nosso coração e faça frutificar as sementes de nosso labor.

KAREN BOMILCAR
Psicóloga clínica hospitalar em saúde pública

O amor de Deus nos é revelado em termos bem concretos. Deus é o Criador do mundo material e bom. A salvação veio através do Filho de Deus encarnado, feito homem, que viveu entre nós e morreu por nós. A ressurreição é no corpo. A fé cristã é vivida no mundo material, onde as ações de Deus acontecem. O amor cristão pela humanidade requer de nós elevar o trabalho para além da esfera econômica e política e considerá-lo expressão da bênção de Deus (*shalom*) para as famílias da terra. Para a maioria dos cristãos, vocação ou chamado diz respeito a algum trabalho religioso, remunerado ou não. Neste livro, Bernardo Cho resgata a bênção daquilo que muitos consideram uma maldição: o trabalho. Nossa vocação é continuar abençoando as famílias da terra com nosso trabalho.

RICARDO BARBOSA
Pastor da Igreja Presbiteriana do Planalto e diretor do
Centro Cristão de Estudos e do Projeto Vocatio

Bernardo Cho nos traz uma brilhante reflexão sobre trabalho e propósito de vida. Embasado em uma boa teologia que observa a integralidade da missão de Deus, que não vê apenas a salvação das almas, mas também o *shalom* de Deus na criação, o autor nos ajuda a compreender quem somos e por que fomos criados. Assim, ele desenvolve uma teologia para a vida, num livro indicado tanto para os descontentes com seu trabalho ou com seu ambiente de trabalho como para os que estão à procura de sentido para a vida.

ROBERTO TAKASU
Empresário do setor imobiliário

Bernardo Cho é muito habilidoso com as palavras. Resume conceitos e ideias de forma simples e profunda, tanto em suas aulas como professor quanto em seus livros como autor. Aqui, ele nos convida a uma importantíssima reflexão sobre nosso papel no enredo bíblico da salvação, em que somos chamados a promover paz, segurança e bem-estar na criação através de nosso trabalho. Não só é assunto recorrente nos gabinetes pastorais, mas também é uma mensagem que deve ecoar em nossos púlpitos, ajudando-nos a lapidar a cosmovisão dos discípulos de Jesus que estão sob nossos cuidados.

ZÉ BRUNO
Músico, vocalista da Banda Resgate e
pastor da Igreja Casa da Rocha, em São Paulo

Trabalho, propósito e descanso

A visão bíblica de shalom *e o chamado do cristão hoje*

BERNARDO CHO

MUNDO CRISTÃO

Os textos das referências bíblicas foram extraídos da *Nova Versão Transformadora* (NVT), da Tyndale House Foundation, salvo indicação específica.

CIP-Brasil. Catalogação na publicação
Sindicato Nacional dos Editores de Livros, RJ

C473e

Cho, Bernardo
Trabalho, propósito e descanso : a visão bíblica de shalom e o chamado do cristão hoje / Bernardo Cho. - 1. ed. - São Paulo : Mundo Cristão, 2022.
176 p.

ISBN 978-65-5988-163-5

1. Espiritualidade. 2. Cristianismo. 3. Vida cristã. I. Título.

22-79922 CDD: 248.4
CDU: 27-584

Gabriela Faray Ferreira Lopes - Bibliotecária - CRB-7/6643

Edição
Daniel Faria
Revisão
Natália Custódio
Produção
Felipe Marques
Diagramação
Marina Timm
Colaboração
Ana Luiza Ferreira
Capa
Jonatas Belan

Categoria: Espiritualidade
1ª edição: novembro de 2022

Publicado no Brasil com todos os direitos reservados por:

Editora Mundo Cristão
Rua Antônio Carlos Tacconi, 69
São Paulo, SP, Brasil
CEP 04810-020
Telefone: (11) 2127-4147
www.mundocristao.com.br

Para meus pais, Michael e Regina,
por sua diligência na construção de *shalom*.

Sumário

Agradecimentos

A matéria-prima deste livro foi extraída de algumas séries de sermões pregadas na igreja onde sirvo como pastor e de um curso sobre a teologia bíblica do trabalho, que tive o privilégio de lecionar no Projeto Vocatio no primeiro semestre de 2022. Expresso minha sincera gratidão a todos os participantes dessas ocasiões e, em particular, aos amigos Ricardo Barbosa e André Pereira, não somente pelas interações enriquecedoras após as palestras, mas sobretudo por sua dedicação a uma consciência cristã que integra fé e trabalho de modo responsável.

Agradeço também a equipe da Mundo Cristão — Daniel Faria, Silvia Justino, Renato Fleischner, Mark Carpenter e demais envolvidos na finalização deste volume — por mais esta generosa oportunidade de contribuir na produção de literatura cristã. Não fosse o excelente trabalho editorial do Daniel, que pôs ordem — leia-se *shalom* — no caos de meus rascunhos originais, este livro não teria sido finalizado no tempo desejado.

INTRODUÇÃO
Socorro! Alguém viu o sentido do meu trabalho?

"Pastor, estou em crise... Não vejo mais sentido em meu trabalho."

Acredite se quiser, mas a maioria dos dilemas que tenho atendido em minha caminhada pastoral mais recente não diz respeito a problemas explicitamente morais. A quantidade de pessoas que me procuram para conversar sobre seus vícios, por exemplo, tem sido expressivamente inferior ao número de cristãos que requerem minha ajuda na busca de sentido para seu trabalho.

Não haveria surpresa alguma, se esse grupo só pertencesse à fatia mais jovem da sociedade. Sabemos que a possibilidade de errar na escolha de uma carreira e os riscos de se privar do sucesso profissional assombram qualquer recém-chegado à vida adulta. Mas esse não tem sido o caso: é cada vez mais frequente deparar com pessoas que, embora há muito tenham passado pela adolescência, ainda padecem de um desnorteamento profundo quanto ao que devem fazer da vida. A impressão que dá é que crise vocacional tem cada vez mais desembocado em crise existencial, inclusive entre os mais experientes.

Em grande medida, esse fenômeno está intimamente atrelado ao mundo em que vivemos. Até pouco tempo atrás, a escolha da profissão era resolvida de modo consideravelmente mais simples: com raras exceções, o lugar de cada pessoa na sociedade era determinado pela "classe" a que ela pertencia, de modo que a ocupação das pessoas era herdada de seus antepassados. O próprio Jesus, por exemplo, não precisou quebrar a cabeça para ser carpinteiro, já que bastava continuar o trabalho que havia sido desempenhado por José — e, provavelmente, pelo pai de José antes dele. A partir da Revolução Industrial, porém, temos testemunhado uma explosão de possibilidades não somente em termos de profissão, mas também em termos de mobilidade. E, com a expansão exponencial dos centros urbanos no período mais recente da história, essa variedade de possibilidades deixou de ser a exceção para se tornar a regra.

Como resultado, se as gerações passadas muitas vezes enfrentavam dificuldades relacionadas à falta de alternativas de ocupação, um dos desafios que enfrentamos hoje é a infinidade de opções disponíveis no mercado. Existem tantos caminhos possíveis que por vezes nos sentimos paralisados. Ou nos vemos inquietos, constantemente insatisfeitos com o que fazemos, "pulando" de emprego em emprego, torcendo para que a felicidade esteja nos aguardando na próxima profissão que viermos a exercer. Na semana em que eu revisava o manuscrito deste livro, conversei com duas pessoas precisamente sobre essa questão: o pai de uma moça de 19 anos, que sofria por ainda não saber para o que prestar no vestibular, e um homem na casa dos 40 anos, que já havia se aventurado em inúmeras atividades, mas que dizia não ter encontrado ainda seu verdadeiro lugar.

E o agravante é que, nos últimos anos, com o domínio das mídias sociais, muitos têm acreditado na fantasia de que a meta mais valiosa de qualquer carreira é adquirir visibilidade — ou, para usar um termo mais politicamente correto entre os evangélicos, "relevância". E isso tem surtido efeitos não muito desejáveis inclusive na compreensão das pessoas sobre seu chamado pessoal. Em uma cultura na qual sucesso é medido pela quantidade de "seguidores", a ideia de que cada um possui um chamado pessoal tem sido usada (e abusada) como pretexto para uma busca desenfreada por protagonismo individual. Desse modo, ter "convicção de chamado" não raro é confundido com ter um objetivo profissional — ou ministerial — ambicioso e buscar alcançar esse objetivo, custe o que custar. Se tal objetivo tem suas raízes em aspirações egoístas e idólatras, tanto faz: ser percebido como alguém bem-sucedido, no final, cobre uma multidão de pecados.

De um lado, então, encontramos pessoas convictas de seu protagonismo, mas que também ostentam um ego bastante avantajado — narcisistas que se acham a "bola da vez", sem profundidade ética, incapazes de enxergar qualquer coisa além de sua própria importância — e, por isso, pouco contribuem de fato para o bem comum. De outro lado, há uma multidão que não entende ao certo por que trabalha tanto de segunda a sexta-feira, sofre de certo complexo de vira-lata por não estar em evidência e, assim, pensa estar distante dos propósitos de Deus. Em ambos os casos, a premissa é a mesma: trabalhar só faz sentido quando traz um retorno que os outros possam invejar. Ademais, se adicionarmos a essa mistura os resquícios do dualismo "sacro *versus* mundano" de épocas não muito remotas, em que a "obra de Deus" se reduzia a tarefas religiosas, temos a combinação perfeita para alienar nosso trabalho de qualquer senso de propósito.

Não deveria nos espantar que, nesse cenário, os maiores ajuntamentos evangélicos girem em torno da autodescoberta, em que o chamado cristão é tratado como uma espécie de "segredo oculto" a ser encontrado e potencializado por meio da autoafirmação. Prega-se que a razão de nossa existência e a base de nossa felicidade é desvendar, por meio de uma epifania à la *Kung Fu Panda*, o destino profissional — ou ministerial — a que fomos separados, como se nosso chamado pessoal fosse um baú escondido lá dentro de nós, pronto para ser desenterrado. E os resultados têm sido desastrosos: enquanto alguns passaram a acreditar que são verdadeiros super-heróis, sem os quais Deus não viveria, um outro sem-número de "meros mortais" vivem obcecados por encontrar o *ticket* premiado da "liberação de seu destino".

O presente volume propõe um retorno às Escrituras para lidarmos com esses desafios. Nitidamente, a raiz do problema que tem acometido o senso de vocação de muitos cristãos hoje está na visão limitada que temos adotado sobre o trabalho e, por implicação, sobre os propósitos que Deus deseja cumprir por meio de nossos afazeres diários. Quando não relegado à categoria de "mal necessário", o trabalho tem sido reduzido a mero instrumento para a promoção dos interesses individuais daquele que o exerce. E, em um contexto como esse, é natural que muitos percam de vista o real sentido do que fazem — sobretudo das atividades menos "extraordinárias" do cotidiano — e se vejam desiludidos quanto à contribuição que podem fazer a um propósito maior. Segundo a história relatada de Gênesis a Apocalipse, todavia, trabalhar tem pouquíssimo a ver com um "mal necessário" e transcende em muito qualquer realização individual.

O peso deste livro está em demonstrar que trabalhar, à luz do enredo bíblico da salvação, diz respeito à participação da humanidade no desejo de Deus de estabelecer seu *shalom* — paz, segurança, plenitude de vida — no mundo. Sim, este é mais um livro sobre fé e trabalho, mas, de uma forma mais marcante, apresenta esse tema dentro da trajetória dos atos redentivos de Deus, de modo a destacar não somente a importância do trabalho por uma perspectiva cristã (o que já foi demonstrado por outros autores nas últimas décadas),[1] como também o caráter escatológico que faz do trabalho o espaço onde o reino de Deus se manifesta até a consumação da nova criação. Consequentemente, é de igual significância para meu argumento que trabalhar — participar com Deus na produção de *shalom* — é também um exercício de esperança. Em última instância, portanto, o que dá sentido a nosso trabalho não é aquilo que chamamos de sucesso, tampouco a concretização de nossas aspirações individuais, muito embora seja positivo e desejável ter êxito de forma lícita em qualquer atividade com a qual nos engajamos. O que enche nossos afazeres de significado é o fato de que Deus nos chamou para a manutenção do *shalom* estabelecido na criação e para a antecipação do *shalom* perfeito a ser consumado na nova criação.

Para essa finalidade, os capítulos 1—2 são dedicados a esboçar uma teologia bíblica do trabalho, com o foco na relação entre as tarefas diárias da humanidade e os atos salvíficos de Deus relatados nas Escrituras. Os capítulos 3—4 e

[1] Veja, por exemplo: Miroslav Volf, *Work in the Spirit: Toward a Theology of Work* (Eugene: Wipe and Stock, 1991); R. Paul Stevens, *The Other Six Days: Vocation, Work, and Ministry in Biblical Perspective* (Grand Rapids: Eerdmans, 1999); Amy L. Sherman, *Kingdom Calling: Vocational Stewardship for the Common Good* (Downers Grove: IVP, 2011); Andy Crouch, *Culture Making: Recovering Our Creative Calling* (Downers Grove: IVP, 2013); Timothy Keller e Katherine Leary Alsdorf, *Every Good Endeavor: Connecting Your Work to God's Work* (New York: Penguin, 2014).

os capítulos 5—6, por sua vez, mostram como as histórias do livro de Rute e de José, respectivamente, ilustram a visão bíblica do trabalho e elucidam como podemos perceber nossa participação nos propósitos de Deus para o cosmo. Já os capítulos 7—8 discorrem sobre a relação harmoniosa que deve existir entre trabalho e descanso a partir de uma perspectiva bíblico-redentiva, afinal de contas jamais haveria *shalom* se Deus não tivesse descansado no sétimo dia da criação, nem assegurado o descanso pleno no "oitavo" dia da nova criação. Na conclusão, desenho alguns aspectos essenciais a serem considerados sempre que tentamos discernir as maneiras de responder à visão bíblica do trabalho.

1
No princípio, houve trabalho e *shalom*

Nos primeiros anos após minha conversão ao evangelho bíblico, fui ensinado que a "obra de Deus" consistia exclusivamente em tarefas que poderíamos chamar de "religiosas" — como, por exemplo, o ministério pastoral ou as missões transculturais — e, portanto, era algo reservado a alguns poucos "escolhidos". O entendimento da maioria dos crentes com quem eu interagia naquela época se reduzia à ideia de que a "obra de Deus" era feita somente aos domingos e com a Bíblia nas mãos. No entanto, conforme eu ia sendo exposto às Escrituras, foi ficando claro que, embora a pregação da Palavra de Deus de fato faça parte fundamental da obra de Deus, o senhorio de Cristo toca todos os âmbitos de nossa vida pessoal e comunitária, de modo que todas as atividades com as quais nos envolvemos de segunda a sexta-feira — incluindo nosso trabalho chamado "secular" — se tornam espaços para a manifestação dos valores do reino de Deus. Ou seja, a Bíblia não deixa a menor sombra de dúvidas de que Jesus Cristo é o Senhor de absolutamente tudo, de domingo a domingo.

De uns tempos para cá, porém, comecei a notar um outro problema, um pouco mais sutil, relacionado especificamente a como enxergamos a integração entre fé e trabalho. Nos últimos anos, vários estudos têm sido produzidos com o objetivo de resgatar uma visão mais coerente sobre o trabalho diário como algo que pertence à obra de Deus.[1] E, de fato, esses estudos são excelentes, e eu mesmo devo a eles muito do que penso sobre o assunto. Contudo, é bem perceptível no jargão da literatura que "trabalho" é entendido quase que estritamente em termos de "profissão remunerada": quando falamos sobre fé e trabalho, quase sempre estamos falando sobre fé e aquilo que fazemos para tirar nosso sustento financeiro no final do mês. O problema é que, embora nossa profissão remunerada seja central nessa discussão — afinal de contas, o apóstolo Paulo diz que o cristão deve trabalhar para ter com o que ajudar aqueles que estão em necessidade (Ef 4.28) —, essa equiparação simples entre trabalho e profissão remunerada corre o risco de excluir qualquer atividade que não desemboque em ganho monetário, descartando-a como algo menos que trabalho.[2]

Os exemplos são vários. No meu próprio caso, lembro que muitas pessoas sugeriam que eu não "trabalhava" quando cursava Teologia no exterior, e sob essa ótica minha esposa, mãe e dona de casa naquele mesmo período de nossa vida, também não. Com isso, é muito fácil cairmos no erro de abraçar uma definição de trabalho que é pagã — como se trabalho fosse uma espécie de mal necessário para que consigamos pagar os boletos no final do mês — e acabar

[1] Veja referências na nota da Introdução acima, e note que meu ponto de partida no que segue é o mesmo de todos os autores supramencionados: toda teologia cristã do trabalho que se preze deve partir de uma doutrina bíblica robusta da criação.

[2] Veja as observações semelhantes que Gustavo H. R. Santos faz em relação a como também o tema da vocação tem sido compreendido, em "How Garbage Collectors Can Refresh Our Theology", *Comment*, 21 de novembro de 2019, <https://comment.org/how-garbage-collectors-can-refresh-our-theology/>. Acesso em 17 de agosto de 2022.

medindo nosso sucesso de modo geral somente em termos de ganho financeiro.

Então, se de um lado precisamos rejeitar a ideia de que a "obra de Deus" se restringe àquilo que fazemos na igreja, de outro lado é crucial também que não cometamos o reducionismo inverso de achar que trabalho se resume à nossa carreira, ou que nossa carreira esgota todo o trabalho que fomos chamados a realizar.

Antes de falar sobre fé e trabalho, portanto, temos uma necessidade mais basilar de definir trabalho à luz das Escrituras. O desafio, obviamente, é que em nenhum lugar a Bíblia nos dá uma definição enciclopédica sobre o trabalho, e o resultado é que temos adotado definições que não são necessariamente bíblicas para tratar do assunto. Trabalhar é uma atividade tão essencial e imperativa de nosso cotidiano que raramente percebemos nossa total ignorância quanto ao seu significado. Por isso, há que se refletir sobre como o todo das Escrituras deve informar uma percepção cristã apropriada sobre o trabalho. E o nosso ponto de partida é o relato da criação do universo.

> No princípio, Deus criou os céus e a terra. A terra era sem forma e vazia, a escuridão cobria as águas profundas, e o Espírito de Deus se movia sobre a superfície das águas.
>
> Então Deus disse: "Haja luz", e houve luz. [...]
>
> Assim, Deus criou os seres humanos à sua própria imagem,
> à imagem de Deus os criou;
> homem e mulher os criou.
>
> Então Deus os abençoou e disse: "Sejam férteis e multipliquem-se. Encham e governem a terra. Dominem sobre os peixes

> do mar, sobre as aves do céu e sobre todos os animais que rastejam pelo chão". [...]
>
> Então Deus olhou para tudo que havia feito e viu que era muito bom. [...]
>
> O Senhor Deus colocou o homem no jardim do Éden para cultivá-lo e tomar conta dele, mas o Senhor Deus lhe ordenou: "Coma à vontade dos frutos de todas as árvores do jardim, exceto da árvore do conhecimento do bem e do mal. Se você comer desse fruto, com certeza morrerá".
>
> Gênesis 1.1-3,27-28,31; 2.15-17

Os dois primeiros capítulos de Gênesis nos dão um relato da origem de todas as coisas. O cerne, em poucas palavras, é este: céus e terra não são fruto do acaso, nem o resultado de algum conflito cósmico. Céus e terra vieram a existir com um propósito específico, bom e muito bem planejado — isto é, ser o espaço sagrado de habitação do Criador. Deus criou céus e terra, estabelecendo sua ordem perfeita no universo, porque ele sempre teve a intenção de habitar aqui e ter comunhão íntima com suas criaturas.[3]

Agora, se ajustarmos um pouco o ângulo de nossa leitura, perceberemos que, dentro dos temas que fazem parte do interesse teológico primordial da narrativa da criação, Gênesis 1—2 fala de um fato que têm tudo a ver com nosso assunto. O texto nos diz que Deus *trabalhou* na criação do universo: "No princípio, Deus *criou* os céus e a terra". Isso sugere que trabalhar faz parte do caráter de Deus, de quem Deus é. E o mundo foi resultado desse trabalho.

[3] Veja mais em Bernardo Cho, *O enredo da salvação: Presença divina, vocação humana e redenção cósmica* (São Paulo: Mundo Cristão, 2021), p. 25-32.

Consequentemente, a primeira coisa que precisa ser afirmada é que o trabalho é algo essencialmente bom, pois vem de Deus. O trabalho não é um mal necessário, algo que "suportamos" só porque não temos o suficiente para nos aposentar antes da hora. Se o ato de trabalhar não fosse bom em si mesmo, não haveria vida. Se existe "algo" em vez de "nada", é porque Deus trabalhou. Deus é um Deus que trabalha, que desenha, que cria, que produz, que doa, que põe ordem no caos.

Entender que Deus trabalhou na criação do universo é de suma importância, porque isso nos ajuda a enxergar um aspecto central da definição que Deus dá à própria identidade humana. Não só o universo é fruto do trabalho de Deus, mas também o ser humano foi criado à sua imagem e semelhança. Isso significa que trabalhar faz parte também de nosso sistema operacional: fomos criados para, entre outras coisas, participar daquilo que o próprio Criador iniciou ao dar origem à criação. Fomos criados para, entre outras coisas, trabalhar. Trabalhar faz parte de nossa vocação como seres humanos. (É por isso que, não raro, pessoas que deixam de trabalhar parecem perder de vista o próprio sentido da vida.)

Todavia, a visão de Gênesis 1—2 sobre a vocação humana relacionada ao trabalho extrapola aquilo que costumamos chamar de trabalho. Precisamos admitir que somos profundamente influenciados pela cultura à nossa volta, de modo que todos nós herdamos uma maneira bem particular de entender o conceito de trabalho que, em grande medida, é produto de padrões de pensamento específicos de nosso tempo. No mundo pós-industrial que habitamos, por exemplo, trabalho parece ser trabalho somente quando entendido em íntima conexão com a palavra "salário".[4] No entendimento de nossa cultura, trabalhar é, em primeiro lugar, ganhar dinheiro — é fazer algo que nos dê sustento financeiro. É por isso que, para a maioria das pessoas de nosso tempo, inclusive para boa parte dos cristãos, sucesso tem quase tudo a ver com quanto se ganha, e não necessariamente com a qualidade do que se faz, muito menos com o *como* se faz *o que* se faz.

Consequentemente, quando o assunto é como a fé cristã pode tangenciar o mercado de trabalho, a conversa com frequência gira em torno de "como falar de Jesus" aos colegas de trabalho, enquanto o trabalho em si é visto tão somente como um meio de conquistas pessoais. É óbvio que devemos aproveitar as oportunidades que temos no ambiente de trabalho para evangelizar, mas essa maneira de pensar é reducionista e não representa o retrato todo que a Bíblia nos oferece. Não à toa, muitos cristãos estranham quando digo que Deus "trabalhou" na criação do cosmo. Como assim Deus trabalhou, se ele não precisou "bater ponto", cumprir horário ou ficar ansioso para pagar as contas no final do mês? Mas esse tipo de questionamento só existe porque nós entendemos trabalho de maneira limitada, associado unicamente à ideia de ganho, sustento ou cumprimento de obrigação.

Com base no relato bíblico, trabalho abarca uma série de atividades que inclui, sim, aquilo que fazemos para obter algum retorno econômico, mas não se limita somente a isso. Se prestarmos atenção às atividades que Deus concede aos seres humanos como parte de sua vocação em Gênesis 1—2, logo perceberemos que tudo diz respeito à manutenção da ordem

[4] Para uma breve história da definição de trabalho, veja Volf, *Work in the Spirit*, p. 25-65.

e da plenitude de vida no universo, iniciada pelo próprio Criador de céus e terra. Em hebraico, há uma palavra extremamente importante que, embora não ocorra na narrativa da criação, sintetiza esse conceito fundamental ao longo de todo o Antigo Testamento: *shalom* — isto é, paz, segurança, florescimento, plenitude de vida. *Shalom* conota a realidade de que as coisas estão em seu devido lugar.[5] E essa ideia aparece em Gênesis 1.28, quando Deus diz à humanidade: "Sejam férteis e multipliquem-se. Encham e governem a terra. Dominem sobre os peixes do mar, sobre as aves do céu e sobre todos os animais que rastejam pelo chão". Uma vez que a humanidade existe para representar o Criador na terra, sua função é estender o governo de Deus em todas as esferas, em todos os cantos da criação. A função da humanidade é dar continuidade ao trabalho de Deus no cosmo, construindo uma cultura de *shalom*, de ordem, de plenitude de vida (o que tem sido chamado em certas tradições cristãs de mandato cultural).

De fato, em Gênesis 2.19-20, vemos que a humanidade está completamente envolvida nessa atividade, literalmente "dando nome aos bois":

> O SENHOR Deus formou da terra todos os animais selvagens e todas as aves do céu. Trouxe-os ao homem para ver como os chamaria, e o homem escolheu um nome para cada um deles. Deu nome a todos os animais domésticos, a todas as aves do céu e a todos os animais selvagens.

[5] Veja mais em Gerhard von Rad, *Old Testament Theology*, Vol. 2 (Edinburgh: Oliver and Boyd, 1962–1965), p. 147; e Joseph P. Healey, "Peace", em David Noel Freedman et al. (eds.), *The Anchor Bible Dictionary* (New York: Doubleday, 1992), vol. 5, p. 206-8.

Qual é a relevância de Adão ter dado nome aos animais? No pensamento bíblico, dar nome conota a atividade de exercer domínio, atribuir valor e distinguir funções.[6] É isso, aliás, que o próprio Criador faz ao estabelecer ordem nos seis dias da criação: ele dá nome aos diferentes componentes do cosmo — "dia", "noite", "firmamento", "terra seca" (Gn 1.1-10) —, manifestando assim seu domínio, reconhecendo o valor e distribuindo as funções de cada elemento da realidade criada. Ao dar nome aos animais do cosmo criado por Deus, portanto, a humanidade dava continuidade ao que o Criador havia iniciado, fazendo a manutenção da ordem, do *shalom* originado pelo próprio Deus. O fascinante disso tudo é que não é Deus quem dá nome aos animais, mas, sim, o ser humano — o Criador convida seus regentes a fazer isso em seu lugar! E podemos inferir que, no simples ato de denominar os animais, a humanidade ocupava as três grandes áreas do conhecimento: as ciências biológicas, ao observar e nutrir; as ciências humanas, ao refletir e gerenciar; e as ciências exatas, ao ordenar e catalogar. De modo embrionário, já estava tudo ali.

É instrutivo, nesse sentido, que a famosa passagem em que Deus coloca o homem no Éden em Gênesis 2.15 utilize a imagem de um *jardineiro* para descrever o trabalho humano: "O Senhor Deus colocou o homem no jardim do Éden para cultivá-lo e tomar conta dele". A imagem do jardim era comum na literatura do antigo Oriente Próximo para descrever o espaço de habitação divina em harmonia com a vida humana e, em Gênesis, indica o propósito específico para o qual os

[6] Veja detalhes em Martin Rose, "Names of God in the OT", em *ABD*, vol. 4, p. 1003.

seres humanos foram criados.[7] Ou seja, a tarefa da jardinagem no Éden encapsula a realidade para qual o trabalho dos seres humanos deveria apontar.

Primeiro, a humanidade deveria olhar para o mundo que Deus havia criado como uma dádiva, um presente com infinitas possibilidades. Em seguida, a humanidade deveria imaginar e planejar, inspirada pelo caráter de Deus, o que fazer com aquele jardim. Implícito nisso, então, estava a necessidade de se empregar todas as habilidades e aptidões para o objetivo proposto. Afinal de contas, jardinagem exige técnica, e um jardim sem jardinagem, ou jardinagem das mãos de alguém que não entende do assunto, vira mato — o caos domina. E, como qualquer outra atividade, cultivar o jardim do Éden requeria não somente o aprimoramento de conhecimentos já existentes, mas também a invenção de novas tecnologias. Ademais, a humanidade deveria ajudar a terra a desenvolver seu máximo potencial, sem adotar para isso uma postura de exploração. Nenhum jardineiro explora — pelo contrário, um bom jardineiro cuida, sustenta e produz beleza. E, finalmente, a humanidade deveria tirar sua subsistência e a subsistência de toda a sua comunidade por meio do cultivo do jardim, de modo que todos pudessem desfrutar da ordem e da plenitude de vida originalmente estabelecidas por Deus.

Com isso em mente, percebemos que a noção bíblica de trabalho não apenas nos ensina que o trabalho é bom em si, mas também confronta um elemento central do entendimento predominante em nossa cultura sobre o que é trabalho. De acordo com Gênesis 1—2, trabalhar não tem nada a ver

[7] Veja mais em Howard N. Wallace, "Garden of Eden", em *ABD*, vol. 2, p. 821-2.

com se envolver em um mal necessário, e é muito mais do que fazer algo somente para pagar as próprias contas ou enriquecer. É fato que, sem sustento, não vivemos — de novo, Paulo diz que "quem não quiser trabalhar não deve comer" (2Ts 3.10), e em Gênesis 1—2 o trabalho de fato era o meio pelo qual a humanidade poderia se manter. A produção de riqueza faz parte, sim, da incumbência que Deus deixou à humanidade, já que a pobreza e a improdutividade não são realidades condizentes com o *shalom* desejado pelo Criador. Contudo, trabalhar é fazer parte de um propósito divino que antecede o pecado e que é infinitamente mais amplo do que nossas profissões remuneradas. Trabalhar diz respeito a viver a realidade de que somos criados à imagem e semelhança de Deus e, portanto, abrange toda e qualquer atividade que contribui para a manutenção da ordem e para a preservação da plenitude de vida no universo. Trabalhar é produzir *shalom*, e produzir *shalom* é uma das razões por que existimos.

É por isso que há muitas maneiras de ganhar dinheiro que devem ser rejeitadas não somente por serem criminosas, mas por contrariarem o desejo expresso de Deus de estabelecer paz, segurança, florescimento, plenitude de vida. (Ninguém em sã consciência defenderia, por exemplo, que o que o infame narcotraficante Pablo Escobar fazia era trabalho, mas é curioso, para dizer o mínimo, que ele chegou a entrar na famosa lista da revista Forbes das pessoas mais bem pagas do mundo.) E é por isso que até mesmo um trabalho legítimo, seja ele secular ou eclesiástico, quando distanciado do desejo de Deus de estabelecer seu *shalom* no mundo, pode estar igualmente aquém da visão bíblica.

À luz disso, então, podemos pontuar a diferença que um entendimento bíblico adequado faz para o modo como encaramos nosso trabalho. Saber que Deus é um Deus que trabalha, e que nos criou para dar continuidade ao trabalho que ele mesmo iniciou, nos ajuda a fazer as pazes com nossa própria vocação de trabalhar. Nosso trabalho não é um mal necessário. Nosso trabalho não é nosso inimigo. Nosso trabalho é o contexto a partir do qual a obra de Deus no mundo segue adiante. Trabalhar sempre teve e sempre terá relevância cósmica.

Relacionado a isso, saber que trabalhar é manter o *shalom* de Deus no mundo nos dá uma perspectiva mais aprofundada sobre a relevância de nossa carreira. O valor de nossa carreira alcança um patamar que nunca alcançaria caso a Bíblia não apresentasse o trabalho como um espaço de manutenção da paz, da segurança, do florescimento, da plenitude de vida. Quando entendemos nosso trabalho como a continuação do trabalho de Deus de governar o cosmo, nossa carreira ganha valor sacerdotal, como o meio pelo qual Deus continua a pôr ordem no caos. Aquilo que exercemos profissionalmente, além de ser um meio de subsistência e de testemunho verbal de nossa fé, é o próprio contexto onde nossa fé é posta em prática e se manifesta concretamente na manutenção da ordem na criação de Deus. Podemos encarar a vida profissional como algo bom em si, na qual Deus está completamente envolvido conosco. É bom que busquemos melhorar nossa atuação e aprimorar nossas habilidades para a glória de Deus. É bom que cresçamos profissionalmente — isso faz parte do *shalom* de Deus —, porque a profissão é nosso campo de atuação no reino de Deus.

Por outro lado, saber que trabalhar é manter o *shalom* de Deus no mundo expande nossa visão sobre o que somos chamados a fazer. Nossa ocupação profissional se torna parte de um todo mais amplo. Ou seja, ao mesmo tempo que exalta o valor de nossa ocupação profissional, o entendimento bíblico do trabalho também coloca o valor de nossa carreira em seu devido lugar, sob o propósito mais amplo a que fomos chamados: o de manter a ordem do cosmo. Como resultado, saber que trabalhar é manter o *shalom* de Deus nos protege de sermos escravizados por nossa profissão, nos guarda daquelas crises de autoestima que decorrem de medidas de sucesso que não provêm de Deus, e nos ajuda a avaliar se de fato temos vivido conforme nossa vocação. Afinal, o trabalho que Deus nos deu inclui o sucesso profissional, mas vai muito além dele. Assemelha-se ao trabalho de um jardineiro e envolve o todo da vida: nossas relações com o mundo, com as pessoas e com nós mesmos. Isso exerce profundo impacto na maneira como podemos discernir nosso chamado pessoal, porque é a partir dessas questões que somos capazes de organizar muitas de nossas prioridades e decisões sobre o trabalho.

E, finalmente, esse entendimento bíblico sobre o trabalho nos ajuda a honrar também *como trabalho* muitas outras atividades que, embora não tenham a remuneração como objetivo máximo, verdadeiramente produzem *shalom*. Por exemplo, você já pagou sua mãe por ela ter cozinhado a vida inteira, todos os dias, várias vezes ao dia, para você? Acaso isso não foi trabalho?[8]

Dito isso, é necessário admitir que nem sempre *shalom* é nossa experiência no dia a dia do trabalho. Muitas pessoas

[8] Toda essa questão é de especial relevância, por exemplo, para discussões em torno de licença-maternidade — e licença-paternidade. Se trabalho tem a ver com a manutenção do *shalom* de Deus no mundo, faz sentido colocar o bem-estar da mãe em oposição aos interesses do mercado de trabalho?

têm carreiras que não apreciam — elas a exercem mais por necessidade que qualquer outra coisa —, enquanto outros têm ocupações das quais desfrutam sem, porém, conseguir pagar as contas por meio delas. Há ainda os que recebem bom sustento fazendo o que gostam de fazer, mas em um ambiente hostil, tóxico, injusto ou improdutivo. Outros ainda são profissionais bem-sucedidos, mas tão sugados pelas exigências de sua ocupação que acabam trazendo sobre si inúmeros problemas, uma vez que não conseguem conciliar a dedicação profissional com outras obrigações igualmente sagradas — como o trabalho em casa, o tempo com a família e com os amigos, e a preservação de um estilo de vida saudável. Tudo isso sem mencionar a crise que vem se tornando cada vez mais comum em décadas recentes: a de pessoas que parecem possuir tudo menos um senso de realização. Em suma, o que confere sentido a nosso trabalho é o propósito de Deus de estabelecer seu *shalom* por nosso intermédio, mas nem sempre *shalom* é a primeira coisa que experimentamos quando estamos envolvidos em nosso trabalho. Na vida real, por mais favorável que seja o cenário onde nos encontramos no trabalho, nossa relação com ele é, no mínimo, ambígua e, por vezes, angustiante.

Por que isso acontece? Será que há algo de errado conosco? Será que há algo de errado com o que fazemos ou com a maneira como Deus fez o mundo? E mais importante ainda: será que a nossa experiência diária no trabalho, que nem sempre é positiva, é o que deve determinar nossa perspectiva sobre nossas tarefas diárias? No próximo capítulo, falaremos sobre o que explica esse descompasso entre a visão de Gênesis 1—2 e os dilemas que enfrentamos em nosso trabalho e, principalmente, sobre como o evangelho trata dessas questões. Por ora, convém enfatizar: no princípio, Deus trabalhou. Que nós honremos nossa identidade como seres feitos à imagem e semelhança de Deus, participando dessa realidade com o nosso trabalho também.

2

Trabalho, *shalom* e esperança à luz do enredo da salvação

Como vimos no primeiro capítulo, a Bíblia define trabalho a partir da vocação dada por Deus à humanidade de manter o *shalom* — a ordem, a paz, a segurança, a plenitude de vida — no mundo. O grande problema é que falar de trabalho como produção de *shalom* é só metade da história. Porque o fato inegável é que nosso trabalho nem sempre se traduz em experiências gratificantes, muito menos prazerosas. Por vezes na história, aliás, o trabalho tem sido um instrumento de alienação e desumanização. Mas o que é que explica esse fenômeno contraditório?

As muitas narrativas que estamos acostumados a ouvir por aí tentam responder a isso de diferentes formas. Há quem diga que a culpa toda é da burguesia, que constrói sistemas opressivos e reduz o trabalho a um meio de perpetuação da desigualdade. Outros dizem que o segredo está na falta de autoconhecimento, como se saber exatamente quem somos resolvesse todas as nossas crises e resultasse em realização pessoal perfeita. E há também aqueles mais cínicos, que perderam completamente a esperança no trabalho e consideram toda essa conversa perda de tempo.

A Bíblia, no entanto, nos ajuda não apenas a enxergar o significado do trabalho de forma muito mais ampliada e coerente do que qualquer outra narrativa, como também a entender os percalços que enfrentamos no trabalho de forma igualmente ampliada. Um detalhe que é crucial recordarmos é que, precisamente no mesmo contexto em que Deus dá a responsabilidade ao homem de cultivar o jardim do Éden e dele cuidar, Gênesis relata sobre a proibição da árvore do conhecimento do bem e do mal. E o que uma coisa tem a ver com a outra? A resposta é simples: o trabalho — essa atividade tão central para nossa identidade — só poderia de fato acontecer de forma imaculada na medida em que a humanidade permanecesse em comunhão com seu Criador, em uma relação de confiança, dependência e obediência a ele. A manutenção do *shalom* poderia acontecer conforme a humanidade se mantivesse em comunhão com o Criador do *shalom*. Só é possível cultivar o *shalom* quando não perdemos de vista o Inventor do *shalom*. O êxito do trabalho humano, portanto, dependia de algo mais fundamental que as diferentes formas que o trabalho humano assumiria: a confiança, a dependência, a obediência da humanidade a Deus.

Conforme o enredo bíblico nos mostra, porém, a humanidade preferiu fazer as coisas do seu próprio jeito, rejeitando o Criador do *shalom* como marco último de referência. A árvore do conhecimento do bem e do mal representava a possibilidade de se viver de forma autônoma de Deus, sem consideração pela sabedoria do Criador.[1] Ao comer do fruto proibido, portanto, Adão e Eva viraram as costas para a única maneira possível de se viver perfeitamente a vocação humana. O pecado foi a negação do caminho da confiança, da dependência, da obediência a Deus. Como resultado, o pecado causou uma ruptura entre a possibilidade de darmos total continuidade ao projeto iniciado por Deus na criação e a realidade a partir da qual poderia se dar essa continuidade — o pecado nos fez

[1] Veja mais em Cho, *O enredo da salvação*, p. 33-41.

perder o norte. Assim, o pecado foi uma transgressão moral fundamental, mas também muito mais que isso: assim como a criação foi um evento cósmico, o pecado também teve proporções universais porque, a partir do pecado, a capacidade humana de produzir *shalom* se viu severamente comprometida. É isso que vemos no famoso relato da queda da humanidade:

> A mulher viu que a árvore era linda e que seu fruto parecia delicioso, e desejou a sabedoria que ele lhe daria. Assim, tomou do fruto e o comeu. Depois, deu ao marido, que estava com ela, e ele também comeu. Naquele momento, seus olhos se abriram, e eles perceberam que estavam nus. Por isso, costuraram folhas de figueira umas às outras para se cobrirem.
>
> Quando soprava a brisa do entardecer, o homem e sua mulher ouviram o SENHOR Deus caminhando pelo jardim e se esconderam dele entre as árvores. Então o SENHOR Deus chamou o homem e perguntou: "Onde você está?".
>
> Ele respondeu: "Ouvi que estavas andando pelo jardim e me escondi. Tive medo, pois eu estava nu". [...]
>
> E ao homem [Deus] disse:
>
> "Uma vez que você deu ouvidos à sua mulher
> e comeu da árvore cujo fruto ordenei que não comesse,
> maldita é a terra por sua causa;
> por toda a vida, terá muito trabalho para tirar da terra seu sustento.
> Ela produzirá espinhos e ervas daninhas,
> mas você comerá de seus frutos e grãos.
> Com o suor do rosto você obterá alimento,
> até que volte à terra da qual foi formado.
> Pois você foi feito do pó,
> e ao pó voltará".
>
> Gênesis 3.6-10,17-19

Justamente porque a humanidade optou por um caminho diferente daquele proposto por Deus, a possibilidade de *shalom* se viu severamente complicada. Não à toa, a descrição que Gênesis faz dos efeitos imediatos do pecado indica fenômenos vistos até hoje no trabalho nosso de cada dia. Quando a humanidade segue o caminho da autonomia e perde de vista o Inventor do *shalom*, o resultado é a fragmentação do *shalom* de Deus em todos os níveis das interações humanas.

Começa pelo fato de que o primeiro casal da Bíblia, ao virar as costas para o Criador do *shalom*, perde de imediato a referência do que fazer, tornando-se inseguro e autoabsorvido: "Naquele momento, seus olhos se abriram, e eles perceberam que estavam nus" (Gn 3.7). Notemos a sequência: homem e mulher têm seus olhos abertos e, como consequência direta disso, acham que a maneira como Deus os havia criado estava errada, tendo vergonha da própria nudez. O caminho da autonomia, portanto, causa na humanidade a perda da capacidade de perceber *shalom* como *shalom*. Desse momento em diante, o ser humano redefine, a partir de si mesmo, o que é bom, agradável e belo. O problema é que, sem comunhão com o Deus que é a própria definição do que é bom, agradável e belo, a humanidade fica refém de sua carência, e a alienação de seu senso de identidade desemboca na alienação do sentido de seu trabalho. Por isso é impossível falar de trabalho ou de vocação sem falar também de identidade, do que nos define como seres criados à imagem e semelhança de Deus.

Assim, para compensar uma vergonha que nem mesmo era legítima aos olhos de Deus, homem e mulher se apressam e se cobrem com folhas de figueira. Em vez de trabalhar para manter o *shalom* de Deus, buscam suprir uma carência que eles mesmos inventaram! Por causa do pecado, o primeiríssimo fruto do trabalho da humanidade separada de Deus não é *shalom*, mas uma espécie de autoafirmação narcisista. Que deturpação do significado do trabalho! E não é isso que está por trás de tantos dilemas que nos acometem no trabalho? Uma profunda insegurança e autoabsorção, a ponto de procurarmos esconder-nos de Deus? Quantas pessoas usam o trabalho para se autoafirmar, para compensar algum senso de deficiência? Quantas vezes não encontramos pessoas assim no trabalho, e quantas vezes nós mesmos não agimos assim?

E a história não acaba aí. A partir da rejeição da comunhão com o Deus do *shalom*, dá-se início a uma reação em cadeia na fragmentação das interações humanas, que é o que afeta de forma ainda mais visível as dinâmicas de nosso trabalho até hoje. Ou seja, a fragmentação da percepção que a humanidade tinha dela mesma se estende à fragmentação da relação do ser humano com seu próximo. Quando Deus pergunta ao homem: "Você comeu do fruto da árvore que eu lhe ordenei que não comesse?", a resposta é: "Foi a mulher que me deste! Ela me ofereceu do fruto, e eu comi", ao passo que a mulher, quando indagada, replica: "A serpente me enganou. Foi por isso que comi do fruto" (Gn 3.11-13).

Esse retrato é profundamente trágico, porque, em Gênesis 2, a mulher havia sido eleita por Deus para trabalhar junto com o homem na manutenção da ordem do cosmo. Agora, porém, sem uma visão clara do Deus do *shalom* e presos em sua própria insegurança, homem e mulher passam a se enxergar como rivais, como adversários, como concorrentes. O homem culpa a mulher, a mulher culpa a serpente, e ninguém assume a culpa de nada. (Não é assim muitas vezes no ambiente de trabalho?)

Com isso, outro aspecto que caracteriza o contraste entre o plano original de Deus para o trabalho humano e a realidade de nossa segunda-feira é que, desde Gênesis 3, o trabalho tem sido usado por muitos como mecanismo de domínio — e, por vezes, até mesmo de opressão — sobre as pessoas, não mais sendo o contexto onde ordem, paz, segurança e plenitude de vida são promovidas. É isso, aliás, que acontece em Gênesis 3.20: "O homem, Adão, deu à sua mulher o nome de Eva, pois ela seria a mãe de toda a humanidade". Já se perguntou o que significa isso? Onde foi que vimos Adão "dar nome" a alguém? Em Gênesis 2.19-20, quando ele dá nome a "todos os animais domésticos, a todas as aves do céu e a todos os animais selvagens", exercendo sua autoridade sobre as criaturas da terra. Eva, contudo, só recebe de Adão seu nome após a queda. Antes disso, a mulher era "osso dos meus ossos, e carne da minha carne" (Gn 2.23).[2] A humanidade, com sua identidade não mais ancorada no caráter de Deus, passa a enxergar seus semelhantes como obstáculos a ser superados — ou como objetos sobre os quais podem exercer domínio e por meio dos quais podem alcançar seus próprios objetivos.

E, conectado às duas primeiras rupturas causadas pelo pecado, há o terceiro e óbvio fato de que a interação entre

[2] O restante de Gênesis 2.23 diz: "Será chamada 'mulher', porque foi tirada do 'homem'". É de extrema relevância que, neste caso, o verbo hebraico *qārā'*, traduzido por "chamar", esteja no Nifal (voz passiva), ao passo que o mesmo verbo esteja no Qal (voz ativa) em 1.1-10, em que o próprio Deus dá nome aos elementos do cosmo, e em 3.20, em que o próprio Adão dá nome a Eva. Em Gênesis 2.23, antes da queda, não é Adão que dá nome à "mulher" — ele simplesmente reconhece um atributo dela: "osso dos meus ossos", "carne da minha carne" e "foi tirada do 'homem'".

a humanidade e a própria criação fica também severamente fragmentada. A vida, no contexto em que o pecado já entrou no mundo, se torna árida, sofrida, enfadonha e, muitas vezes, infrutífera: "Com o suor do rosto você obterá alimento, até que volte à terra da qual foi formado" (Gn 3.19). Acredito que todos nós conhecemos muito bem essa realidade de segunda a sexta. É importante destacar, porém, que em nenhum momento Deus amaldiçoa o trabalho em si, e que as palavras de Deus nessa passagem vêm após a humanidade já ter dado provas dos dois tipos de fragmentação anteriores. O que aconteceu foi que com o pecado o *ambiente* onde o trabalho humano se realizaria ficou profundamente afetado. E isso aconteceu porque, antes, o ser humano — o jardineiro do universo — virou as costas para os bons propósitos do Criador. E, porque a humanidade perdeu de vista o Criador do *shalom* e teve seu senso de identidade comprometido até os ossos, o jardim se assemelharia mais a um deserto: "espinhos", "ervas daninhas" e "suor do rosto" — ou, para usar outros termos familiares a nós, "pegar condução em greve", "driblar a inflação", "lidar com mudanças climáticas", "precaver-se de roubos", "responder a pandemias" — são agora realidades inexoráveis que acompanham o trabalho humano.

Quando começamos a falar de trabalho à luz da Bíblia, então, observamos que a Bíblia nos dá também uma visão bastante realista de nossas tarefas diárias. Trabalhar é difícil, trabalhar é duro mesmo — não é errado admitir isso. A própria Bíblia é honesta quanto a essa questão. Acontece que Gênesis 3 nos lembra de que trabalhar é duro não porque o trabalho em si é ruim, mas porque somos nós — todas as pessoas ao nosso redor e, por tabela, o ambiente onde trabalhamos — que estamos afetados até o âmago pelo pecado.

Portanto, ainda que as dificuldades que encontramos no trabalho possam decorrer de diversos fatores pontuais, lá na raiz os "espinhos", as "ervas daninhas" e o "suor do rosto" são manifestações da fragmentação que o pecado ocasionou em nós. O trabalho é difícil porque o ser humano, separado de Deus, se tornou difícil: egoísta, ambicioso, desleal, inseguro, invejoso, ganancioso, interesseiro, injusto.

A implicação disso tudo é que, assim como é importante entendermos como a Bíblia define a importância do trabalho, é também crucial compreendermos que tipo de expectativa a Bíblia nos convida a ter em relação ao trabalho. Embora faça parte do bom plano de Deus para nós, o trabalho se tornou algo penoso em vista dos efeitos do pecado. Por mais que possamos encontrar níveis variados de felicidade e realização em nosso trabalho — e de fato, conforme já vimos, sem trabalho não há como encontrar realização —, sempre enfrentaremos empecilhos.

A pergunta que somos levados a fazer nesse momento diz respeito à postura que devemos ter em relação ao trabalho. Diante do fato de que o trabalho é bom, mas, ao mesmo tempo, afetado pelo pecado, será que a Bíblia nos convida a ter uma visão pessimista em relação ao trabalho? Qual é o sentido de trabalhar, quando a Bíblia nos diz que nosso trabalho sempre será acompanhado de espinhos, ervas daninhas e suor? Afinal, há algo em nosso trabalho que vá além dos percalços que enfrentamos? É possível ter esperança para o trabalho — ou melhor, é possível enxergar o trabalho como um exercício de esperança?

A resposta que a Bíblia nos dá é totalmente afirmativa: sim, podemos ter esperança para o trabalho. E é possível ter esperança para o trabalho e enxergá-lo como um exercício de esperança porque a Bíblia nos conta que Deus é não somente o Criador da vocação humana como também o Salvador da vocação humana.

Assim como a realidade do pecado tem sido com frequência reduzida apenas à esfera moral, o ensino bíblico sobre a salvação também tem sido diminuído a algo que diz respeito somente à "alma" da pessoa. O resultado é que, para muitos, o evangelho não toca de forma direta nossas atividades cotidianas. Nesse entendimento reducionista, o evangelho diz respeito meramente a como podemos "ir para o céu", e o envolvimento que o cristão é encorajado a ter se resume a questões religiosas. Trata-se de um erro clássico que eu mesmo segui em um período da minha vida, conforme já mencionei neste livro: muitos até têm convicção de que são "salvos", mas, na prática, acreditam que seu trabalho diário pouco ou nada tem a ver com a "obra de Deus". Não surpreende que esse negócio chamado "obra de Deus" seja visto como algo reservado primordialmente àqueles encarregados de "ganhar almas", os pastores e missionários. Com isso, muitos cristãos que exercem um trabalho assim chamado "secular" pensam que seu papel se resume única e exclusivamente a contribuir financeiramente para a "obra de Deus", na condição de meros coadjuvantes. Não me entendam mal: ofertar para que a pregação do evangelho continue a acontecer é excelente, mas o problema é que muitas pessoas são incapazes de encontrar sentido sagrado em seu trabalho. E, por acharem que a verdadeira "obra de Deus" se resume a atividades religiosas, fazem o seu trabalho como qualquer outra pessoa que não conhece a Deus, sem valores e sem princípios, com o único objetivo de ser bem-sucedidos aos olhos dos outros. Esse "evangelho" que reduz a salvação de Deus ao destino final da alma não contempla a vida toda e é insuficiente para propor uma visão transformadora sobre o trabalho.

Não é esse, contudo, o retrato que encontramos nas Escrituras. A salvação que Deus realiza é algo que abrange todo o cosmo. Embora Adão e Eva tenham escolhido o caminho da autonomia, Deus não abandona seu plano de fazer do universo um lugar de *shalom*. Na Bíblia, a salvação da humanidade faz parte do propósito todo-abrangente de Deus de reconciliar consigo mesmo toda a criação. Assim, quando Deus toma a iniciativa de vir em direção à humanidade após a queda, ele o faz não somente para alcançar a "alma" das pessoas (para lidar com nossa culpa e aliviar nossa consciência), mas para restaurar as pessoas como um todo (para nos colocar de volta aos trilhos de seus propósitos). É a partir da restauração da humanidade, de sua vocação, que o universo seria também restaurado.

É disso que trata boa parte da história do Antigo Testamento, desde o patriarca Abraão até a formação do povo de Israel. Quando Deus inclui Abraão nos planos de redenção do cosmo, ele promete que a descendência do patriarca seria bênção para todas as famílias da terra. O povo de Israel, por sua vez, é colocado em continuidade com aquilo que Deus havia iniciado em Abraão e chamado a ser um reino de sacerdotes, salvo da escravidão do Egito para a missão de mediar a glória de Deus a todos os povos.[3] Segundo o relato das Escrituras, salvação é uma realidade que contempla não somente a redenção da "alma", mas também a restauração de toda a identidade humana — inclusive de nosso papel como promotores de *shalom* no mundo, trabalhadores de Deus. Ao

[3] Veja detalhes em Cho, *O enredo da salvação*, p. 42-65.

intervir na história para nos salvar, Deus agiu para salvar também nosso trabalho, reposicionando-nos como regentes de sua vontade na terra.

Mas como exatamente as intervenções salvíficas de Deus impactam nosso trabalho hoje? O que o êxodo de Israel do Egito, por exemplo, tem a ver com a planilha de Excel da minha empresa, com o gerenciamento da minha equipe, ou com a pilha de louça que insiste em permanecer intacta lá na pia de casa? Ora, se muitos dos desafios com que deparamos em nosso trabalho têm sua raiz na ruptura da relação entre a humanidade e Deus, o único antídoto que nos ajuda a superar nossa incapacidade de produzir *shalom* é ter o caráter de Deus como marco de referência absoluto de nossa vida. Se a manutenção da ordem do cosmo dependia da sintonia entre a humanidade e o Criador, retomar essa tarefa só seria possível se o Criador voltasse a se revelar à humanidade. E é precisamente isso o que Deus realiza em suas intervenções redentivas ao longo da história: ele revela seu caráter ao povo eleito, estabelece com esse povo um relacionamento e o convoca a viver de modo a expressar esse caráter. A função básica dos Dez Mandamentos ilustra muito bem esse ponto:

> Então o SENHOR deu ao povo todas estas palavras:
>
> "Eu sou o SENHOR, seu Deus, que o libertou da terra do Egito, onde você era escravo.
> "Não tenha outros deuses além de mim.
> "Não faça para si espécie alguma de ídolo ou imagem de qualquer coisa no céu, na terra ou no mar. Não se curve diante deles nem os adore, pois eu, o SENHOR, seu Deus, sou um Deus zeloso. Trago as consequências do pecado dos pais sobre os filhos até a terceira e quarta geração dos que me

> rejeitam, mas demonstro amor por até mil gerações dos que me amam e obedecem a meus mandamentos.
>
> "Não use o nome do Senhor, seu Deus, de forma indevida. O Senhor não deixará impune quem usar o nome dele de forma indevida.
>
> "Lembre-se de guardar o sábado, fazendo dele um dia santo. Você tem seis dias na semana para fazer os trabalhos habituais, mas o sétimo dia é o sábado do Senhor, seu Deus. Nesse dia, ninguém em sua casa fará trabalho algum: nem você, nem seus filhos e filhas, nem seus servos e servas, nem seus animais, nem os estrangeiros que vivem entre vocês. O Senhor fez os céus, a terra, o mar e tudo que neles há em seis dias; no sétimo dia, porém, descansou. Por isso o Senhor abençoou o sábado e fez dele um dia santo.
>
> "Honre seu pai e sua mãe. Assim você terá vida longa e plena na terra que o Senhor, seu Deus, lhe dá.
>
> "Não mate.
>
> "Não cometa adultério.
>
> "Não roube.
>
> "Não dê falso testemunho contra o seu próximo.
>
> "Não cobice a casa do seu próximo. Não cobice a mulher dele, nem seus servos ou servas, nem seu boi ou jumento, nem qualquer outra coisa que lhe pertença".
>
> Êxodo 20.1-17

Muito longe de ser um amontoado de regras destinadas a nos fazer merecedores da aceitação (ou condenação) de Deus, os Dez Mandamentos descrevem o tipo de povo que os descendentes de Abraão haviam sido chamados a ser pela graça divina: um povo com o Deus do *shalom* no centro (primeiros quatro mandamentos) e com todas as suas relações orientadas pela realidade da presença de Deus entre eles (últimos seis mandamentos). E, de fato, todo o restante da lei visa o mesmo propósito, sendo uma expansão contextualizada dos Dez Mandamentos.[4]

O objetivo de a lei de Moisés apresentar tantos detalhes da vida cotidiana era instruir as pessoas a viverem de acordo com a santidade de Deus em todas as áreas da vida — era assim que o povo voltaria a construir *shalom*. Então, na perspectiva das ordenanças de Deus, fazer a "obra de Deus" envolvia, sim, contribuir para a construção do tabernáculo (questões religiosas), mas a "obra de Deus" dizia respeito também àquilo que todo israelita fazia ao longo da semana: todos os membros do povo de Deus, não somente os sacerdotes, estavam envolvidos na "obra de Deus", na retomada da vocação humana como promotores de *shalom*.

E mais importante ainda para o propósito deste nosso estudo é que, ao ler o restante da Torá, notamos que muita coisa se relaciona a como as pessoas deveriam desempenhar seu *trabalho* à luz do caráter de Deus.[5] Portanto, ao entrar na história humana para trazer restauração, Deus revela seu caráter a seu povo, indicando, assim, o tipo de gente que estava sendo formado: um povo comissionado a retomar a tarefa de promover *shalom*, a partir de sua relação com o Criador do *shalom*.

Podemos, assim, abandonar o pessimismo e ter esperança para o trabalho porque, apesar da rebeldia humana, Deus não nos deixou no escuro. Deus veio até nós, se revelou na história, mostrou mais uma vez seu caráter e nos capacitou

[4] Ibid., p. 58-65.

[5] Duas instruções que merecem destaque e que serão retomadas adiante: em Levítico 19.13, há a exigência de que os empregadores paguem seus trabalhadores em dia, e, em Levítico 23.22, há a ordem de não colher até as extremidades e de não pegar espigas que já haviam caído no chão.

a promover *shalom*. E nós temos acesso a tudo isso nas Escrituras. É por isso que, por mais importante que seja acumularmos conhecimento e técnica para desempenhar nosso trabalho com eficiência, muito mais necessário é uma vida alicerçada na Palavra, para que nosso trabalho se cumpra com fidelidade àquilo que Deus desenhou para a humanidade. Não há atalhos. O trabalho que exercemos em nossa profissão é uma expressão de nosso ministério. E nós, cristãos, temos um retrato muito mais preciso do caráter de Deus do que tinham nossos antepassados da época de Moisés, porque o mesmo Deus que instruiu os israelitas a viverem à luz de seu caráter por meio da lei se manifestou definitivamente, em carne e osso, na pessoa de Jesus. Podemos ter ainda mais esperança para o trabalho porque, em Jesus, entendemos com precisão o tipo de povo que somos chamados a ser — em Jesus, enxergamos com clareza o que é *shalom*.

Mas não para por aí. Desde que Adão e Eva decidiram se afastar de Deus em Gênesis 3, todos nós, sem exceção, temos de lidar com um grande problema. A realidade dos "espinhos", das "ervas daninhas" e do "suor do rosto" é expressão de algo muito maior, algo que o pecado ocasionou e que nenhum de nós poderia resolver por conta própria: a morte. Assim, por mais maravilhoso que seja saber que não estamos no escuro e que Deus nos capacita a reassumirmos nossa função na manutenção de seu *shalom*, nada disso adiantaria se a morte fosse a palavra final. Porque a morte seria o "super trunfo" do pecado e do caos. A morte cancela o valor de qualquer trabalho. O autor de Eclesiastes está certo: a morte faz com que qualquer coisa "debaixo do sol", inclusive o trabalho, perca o sentido (Ec 3.18-20). O ponto é que a morte seria a contradição máxima do *shalom* de Deus. A morte seria a interrupção dos planos de Deus. A morte seria o fim de nosso trabalho — e de tudo que nos diz respeito.

Todavia, quando olhamos para a salvação que Deus realizou na história, somos lembrados de que Deus nos salvou por completo — Deus nos salvou da própria morte. O mesmo Deus que trabalhou na criação trabalhou até o fim pela nossa salvação. Quando Deus invade a história no momento mais alto de seus atos salvíficos — na vida, morte e ressurreição de Jesus —, ele cumpre a vocação humana com perfeição e derrota a morte, que é nosso maior inimigo. Isso significa que a morte não é a palavra final para nossa vida, e nosso trabalho não é mais cancelado na morte. Pelo contrário: porque Jesus matou a morte, o que prevalecerá no final de tudo será, justamente, o *shalom* de Deus.

Esse é o retrato que encontramos em Apocalipse 21—22, em uma das últimas passagens da Bíblia: um cosmo restaurado e ressurreto, purificado do pecado, sem morte nem sofrimento, e com a presença de Deus habitando plenamente nele. Assim relata João:

> Então vi um novo céu e uma nova terra, pois o primeiro céu e a primeira terra já não existiam, e o mar também não mais existia. E vi a cidade santa, a nova Jerusalém, que descia do céu, da parte de Deus, como uma noiva belamente vestida para seu marido. Ouvi uma forte voz que vinha do trono e dizia: "Vejam, o tabernáculo de Deus está no meio de seu povo! Deus habitará com eles, e eles serão seu povo. O próprio Deus estará com eles. Ele lhes enxugará dos olhos toda lágrima, e não haverá mais morte, nem tristeza, nem choro, nem dor. Todas essas coisas passaram para sempre". [...]
>
> Não vi templo algum na cidade, pois o Senhor Deus, o Todo-poderoso, e o Cordeiro são seu templo. A cidade não precisa de

> sol nem de lua, pois a glória de Deus a ilumina, e o Cordeiro é sua lâmpada. As nações andarão em sua luz, e os reis, em toda a sua glória, entrarão na cidade. Suas portas nunca se fecharão, pois ali não haverá noite. E todas as nações trarão sua glória e honra à cidade. Nenhum mal terá permissão de entrar, nem pessoa alguma que pratique o que é vergonhoso ou enganoso, mas somente aqueles cujos nomes estão escritos no Livro da Vida do Cordeiro.
>
> Apocalipse 21.1-4,22-27

E mais: porque Jesus matou a morte, o mundo vindouro será uma combinação entre um jardim e uma cidade — os propósitos iniciais de Deus no jardim do Éden se casam perfeitamente com o trabalho humano na nova Jerusalém:[6]

> Então o anjo me mostrou o rio da água da vida, transparente como cristal, que fluía do trono de Deus e do Cordeiro e passava no meio da rua principal. De cada lado do rio estava a árvore da vida, que produz doze colheitas de frutos por ano, uma em cada mês, e cujas folhas servem como remédio para curar as nações. Não haverá mais maldição sobre coisa alguma, porque o trono de Deus e do Cordeiro estará ali, e seus servos o adorarão. Verão seu rosto, e seu nome estará escrito na testa de cada um. E não haverá noite; não será necessária a luz da lâmpada nem a luz do sol, pois o Senhor Deus brilhará sobre eles. E reinarão para todo o sempre.
>
> Apocalipse 22.1-5

Eis que, portanto, podemos abandonar o pessimismo e ter esperança para nosso trabalho, porque o sepulcro de Jesus está vazio e o trono do universo está ocupado. Porque

[6] Veja Cho, *O enredo da salvação*, p. 205-13.

Jesus venceu a morte, temos a certeza e a segurança de que nossa participação na manutenção do *shalom* tem significância eterna. Nosso trabalho de segunda a sexta não é passageiro: estamos semeando para a vida futura, quando Deus consumar seu *shalom*.

Com efeito, é disso que o apóstolo Paulo fala em 1Coríntios 15. Alguns na igreja em Corinto questionavam se Jesus de fato havia ressuscitado — e de fato tratava-se de ponto sensível entre cristãos influenciados pela cultura grega, como era o caso dos coríntios, em vista do dualismo típico do sistema de pensamento grego, que diminuía a importância da realidade material. E isso implicava questões éticas seriíssimas: não somente libertinagem, mas também uma visão deturpada da vida, em que o trabalho era visto por alguns como completamente desnecessário — ou, na melhor das hipóteses, um mal necessário. Paulo, em contrapartida, diz que, se Jesus não ressuscitou, nada mais fazia sentido, já que a morte ainda teria a última palavra. Contudo, Jesus havia ressuscitado — e, porque Jesus ressuscitou, o que fazemos agora terá continuidade no mundo vindouro, e nossa vida já é uma antecipação do *shalom* que será consumado no final. "Portanto, meus amados irmãos, sejam fortes e firmes. Trabalhem sempre para o Senhor com entusiasmo, pois vocês sabem que nada do que fazem para o Senhor é inútil" (1Co 15.58).

Nós podemos, portanto, abandonar o pessimismo e ter esperança para nosso trabalho porque os "espinhos", as "ervas daninhas" e o "suor do rosto" — em suma, a morte — não têm a última palavra. A ressurreição de Jesus já assegurou a restauração do *shalom* de Deus no mundo, e tudo o que fazemos hoje terá uma contrapartida na nova Jerusalém, no novo Éden, no novo céu e na nova terra. Graças à ressurreição de

Jesus, nosso trabalho se torna um exercício poderoso de esperança — porque Jesus vive, nosso trabalho passa a ser um manifesto ao mundo de que Deus não desistiu de sua criação e de que, um dia, ele consumará a redenção de todas as coisas, inclusive de nosso trabalho.

A partir dos próximos capítulos, examinaremos como a teologia bíblica do trabalho toca a experiência dos personagens envolvidos no livro de Rute e na história de José, filho de Jacó, de modo a ilustrar como tudo o que temos descrito até aqui pode informar nosso engajamento com o trabalho hoje. Por ora, eu queria delinear três implicações do que acabamos de falar.

Primeiro, trabalhar com esperança começa com o tipo de gente que somos. A manutenção perfeita do *shalom* dependia da saúde do relacionamento entre a humanidade e Deus, mas essa possibilidade se deteriorou com nossa rebeldia: o trabalho humano ficou comprometido porque a humanidade se alienou de Deus. Trabalhar com esperança e ter uma visão transformadora do trabalho, então, é entender que o trabalho é uma extensão de quem somos a partir do relacionamento que Deus estabeleceu conosco em Jesus. É por isso que é impossível falar sobre o cristão no trabalho sem falar sobre discipulado e adoração. Trabalhar não se resume a sucesso profissional — trabalhar é promover *shalom*, o que necessariamente começa com olhar para Deus. E isso é possível porque, graças a Deus, ele não nos deixou no escuro.

Segundo, trabalhar com esperança envolve expressar os valores do reino de Deus em tudo o que fazemos. Se Jesus ressuscitou dos mortos e assegurou o *shalom* definitivo de Deus, somos chamados a participar disso, expressando seu caráter e sinalizando, agora, a realidade do mundo vindouro.

Nosso trabalho, portanto, deve ser entendido não somente como o serviço de jardineiros, mas também como o serviço de embaixadores.[7] Por meio de nosso trabalho, representamos o reino a que pertencemos e tornamos visíveis os valores desse reino. Isso significa que haverá momentos em que nosso trabalho assumirá a forma de resistência, de conservação ou de transformação. (E, às vezes, até teremos de mudar de trabalho.) A despeito da situação, porém, nosso trabalho sempre apontará para os interesses de Deus: justiça, misericórdia, bondade, generosidade, criatividade, inteligência, diligência, excelência, espírito empreendedor, e assim por diante.

E, relacionado a tudo isso, terceiro: trabalhar com esperança deve impactar diretamente a qualidade de nosso trabalho. No mundo vindouro, não haverá o mal. Não haverá projetos superfaturados, nem obras feitas porcamente. Não haverá chão mal varrido, expressões artísticas feias, textos mal escritos, roupas mal costuradas, remédios desnecessários, peças de carro mal encaixadas, comidas mal higienizadas, empresas mal gerenciadas, atendimentos desumanizados. A lei do mínimo esforço — aquela atitude de "se, no final, passar, está tudo bem" — não tem nada a ver com a intenção de Deus para o nosso trabalho. Se trabalhar aponta para o *shalom* futuro, tudo o que fazemos deve ser feito com qualidade, sinalizando o mundo vindouro.

O que nós plantamos hoje não está sendo plantado somente para hoje — não percamos a esperança.

[7] Ibid., p. 215-20.

3
Trabalho, *shalom* e esperança no livro de Rute

Tendo discutido o que está envolvido em uma teologia bíblica do trabalho, o modo mais apropriado de darmos sequência é voltar os olhos para alguns exemplos na Bíblia que ilustrem como os principais pontos enfatizados até aqui podem se integrar nas diferentes situações de nossa vida cotidiana.

Uma das coisas que considero mais apaixonantes na maneira como Deus se revelou à humanidade ao longo da história é que boa parte dessa realidade nos foi transmitida por meio de narrativas, não por meio de proposições abstratas ou princípios idealistas. Ou seja, Deus escolheu se comunicar principalmente por meio de narrativas, porque somente as narrativas conseguem transmitir a pessoalidade da revelação de Deus, além de incluir as complexidades da vida e nossa própria participação nesse drama. Longe, portanto, de nos dar uma série de regras sobre como "trabalhar para a glória de Deus", como em uma espécie de receita de bolo, a Bíblia nos convida a ver em seus personagens exemplos de como isso pode acontecer no mundo complicado em que vivemos, de modo que sejamos inspirados a participar do que Deus deseja fazer em nosso próprio contexto.

Para essa finalidade, então, gostaria de começar com a história de Rute. Trata-se, a meu ver, de um dos melhores exemplos que poderíamos mencionar, uma vez que as pessoas envolvidas em seu enredo são muito semelhantes a nós. Em Rute, não existe nenhum super-herói, nenhuma super-heroína. Na verdade, tudo o que acontece no livro de Rute acontece no cotidiano de pessoas comuns que vivem sua vida comum, exercendo seu trabalho comum, da maneira mais comum possível — assim como qualquer um de nós. E o livro de Rute nos é especialmente relevante, por mostrar com muita clareza que, a despeito do caráter absolutamente ordinário das circunstâncias que vivemos em nosso trabalho, Deus continua a escrever sua história extraordinária por nosso intermédio, quando ousamos abraçar o propósito de promover *shalom* e de exercitar a esperança — de viver à luz do caráter de Deus — no dia a dia.

O cenário em que o livro de Rute se desenrola não é um castelo encantado dos filmes da Disney (ou qualquer tipo de "mundo ideal" com o qual fantasiamos), onde tudo funciona perfeitamente e todas as circunstâncias são favoráveis. O cenário em que o livro de Rute se desenrola é bem parecido com o mundo real em que nós mesmos vivemos, com os muitos percalços e dificuldades que enfrentamos no cotidiano.

> Nos dias em que os juízes governavam Israel, houve grande fome na terra. Por isso, um homem deixou seu lar, em Belém de Judá, e foi morar na terra de Moabe, levando consigo esposa e dois filhos. O homem se chamava Elimeleque, e a esposa, Noemi. Os filhos se chamavam Malom e Quiliom. Eram efrateus de Belém de Judá. Quando chegaram a Moabe, estabeleceram-se ali.
>
> Elimeleque morreu, e Noemi ficou com os dois filhos. Eles se casaram com mulheres moabitas, que se chamavam Rute e Orfa. Cerca de dez anos depois, Malom e Quiliom também morreram. Noemi ficou sozinha, sem os dois filhos e sem o marido.
>
> Noemi soube em Moabe que o SENHOR havia abençoado seu povo, dando-lhe boas colheitas. Então Noemi e suas noras se

prepararam para deixar Moabe. Ela partiu com suas noras do lugar onde havia morado e seguiram para a terra de Judá.

A certa altura, porém, Noemi disse às noras: "Voltem para a casa de suas mães! Que o SENHOR as recompense pelo amor que demonstraram por seus maridos e por mim. Que o SENHOR as abençoe com a segurança de um novo casamento". Então deu-lhes um beijo de despedida, e as três começaram a chorar em alta voz. [...]

Então choraram juntas mais uma vez. Orfa se despediu de sua sogra com um beijo, mas Rute se apegou firmemente a Noemi.

"Olhe, sua cunhada voltou para o povo e para os deuses dela", disse Noemi a Rute. "Você deveria fazer o mesmo!"

Rute respondeu: "Não insista comigo para deixá-la e voltar. Aonde você for, irei; onde você viver, lá viverei. Seu povo será o meu povo, e seu Deus, o meu Deus. Onde você morrer, ali morrerei e serei sepultada. Que o SENHOR me castigue severamente se eu permitir que qualquer coisa, a não ser a morte, nos separe!". Quando Noemi viu que Rute estava decidida a ir com ela, não insistiu mais.

Rute 1.1-9,14-18

A história começa com a afirmação de que havia uma crise de fome durante a época dos juízes. Isso é importante porque, se conhecemos um pouco da história bíblica, lembraremos que a época dos juízes foi uma das mais conturbadas que o povo de Deus já atravessou. Não somente estamos em período de profunda pobreza ética e religiosa, mas percebemos também a realidade dos "espinhos", das "ervas daninhas" e do "suor do rosto" decorrente de Gênesis 3 se fazendo bastante tangível na época em que se inicia o livro de Rute. Um cenário não muito diferente do que enfrentamos tantas vezes em nosso próprio contexto, repleto de instabilidade, incerteza e escassez. A sobrevivência (ou ao menos a busca por uma vida mais segura) era uma das preocupações mais centrais que motivavam as escolhas das pessoas daquela época, inclusive escolhas sobre trabalho — assim como se dá com muitos de nós hoje.

E, dentro desse cenário não tão estranho a nós, somos apresentados a uma família com a qual também é em certo sentido fácil de se identificar: Elimeleque e Noemi, com seus dois filhos, Malom e Quiliom. Essa família provinha originalmente de Belém, uma informação relevante, visto que Belém não somente ficava próximo de Jerusalém, o lugar onde o Deus de Israel manifestaria sua presença mais adiante no enredo bíblico, como também era um vilarejo relativamente próspero da região. (O nome da cidade, em hebraico, significa "casa de pão".) Além disso, a família pertencia ao clã dos efrateus, uma classe elevada daquela sociedade. Combinado ao fato de que o chefe da família se chamava Elimeleque, cujo significado no hebraico é "Deus é rei", fica claro que não se tratava de uma família qualquer. A família de Elimeleque era uma família de reputação, que vivia em uma região próspera, próxima ao lugar que seria considerado "o centro do mundo" pelos israelitas, e cujos antepassados provavelmente cultivaram uma vida religiosa — ninguém daria ao filho o nome de Elimeleque, *no tempo dos juízes,* sem crer que Deus, de fato, é o Rei de seu povo.

Em dado momento, contudo, essa família teve de se deslocar para uma terra estrangeira a fim de fugir de uma situação extremamente adversa. Assim, no início do livro de Rute, deparamos com uma família que teve de se tornar imigrante, em busca de uma vida mais próspera e estável — ou seja, em busca de melhores condições de trabalho. E o que chama a nossa atenção é que a decisão tomada por essa família de se mudar para Moabe é trágica. Desde sua origem, o povo de Moabe era visto pelos israelitas como um povo impuro, imoral, ímpio. Moabe, vale lembrar, foi o filho incestuoso de Ló — aquele mesmo Ló cuja esposa havia sentido tanta saudade de Sodoma e Gomorra que se converteu em estátua de sal assim que saiu de lá (Gn 19). E, particularmente no tempo dos juízes, os moabitas haviam se revelado inimigos da nação eleita: em Juízes 3.12, vemos que Eglom, rei de Moabe, ganha "poder sobre Israel". Ao nos dizer que a família de Elimeleque decidiu partir de Belém para se estabelecer em Moabe, o autor do livro de Rute quer que sintamos, na boca de nosso estômago, o que é que se passava no coração de cada um deles. Imagine a ansiedade e o medo que eles sentiam de, na ausência de qualquer alternativa, ter de se mudar para uma região absolutamente hostil a tudo aquilo que eles representavam. Imagine toda a humilhação que antecipavam experimentar chegando lá.

Já de início, portanto, nós nos vemos na expectativa de que, ao chegar a Moabe, a família de Elimeleque seja retribuída com algum tipo de bênção da parte de Deus. Não é, porém, o que acontece. Na verdade, o que acontece é exatamente o oposto: se os "espinhos" e as "ervas daninhas" haviam forçado a família de Elimeleque a se mudar de Belém para Moabe, os mesmos efeitos de Gênesis 3 alcançariam essa família em terra estrangeira, porque não há lugar debaixo do sol onde as consequências do pecado estejam totalmente ausentes. Assim, não somente Elimeleque morre depois de um tempo, como também Noemi vê seus filhos se casando com duas mulheres moabitas, muito diferentes das mulheres de Belém que Noemi provavelmente sempre havia sonhado ter como noras. E, em vez de recebermos a informação de que agora as coisas pelo menos começariam a se estabelecer, Malom e Quiliom, os dois filhos de Elimeleque e Noemi, seguem os passos do pai e morrem também. Que situação! As únicas pessoas que ficam literalmente vivas para contar essa história são as três mulheres, Noemi, Orfa e Rute. É até difícil imaginar um cenário mais comovente: todos os homens daquela família — todos os provedores de sustento daquela família (no mundo antigo, era assim que funcionava) — falecidos, e uma viúva, que havia passado da idade de se casar novamente, com suas duas noras estrangeiras (também viúvas), agora se vê longe de sua terra, desamparada, sem ter para onde ir e sem contar com muitas opções de subsistência.

No meio desse drama, Noemi ouve dizer que Deus havia aliviado a fome em sua terra natal e, assim, decide voltar para Belém, com uma mão na frente e outra atrás. Notemos que, a essa altura da história, assim como acontece com a maior parte da população mundial ainda hoje, quase todas as decisões que Noemi precisou tomar dizem respeito à busca de sustento. E, antes de partir de volta à sua terra, ela aconselha suas noras a procurarem outros homens de seu próprio povo, jovens saudáveis e promissores, com quem elas possam se casar mais uma vez e garantir um futuro.

É nesse ponto que somos enfim apresentados à primeira protagonista da história. Rute era moabita de nascimento, pertencente a uma nação historicamente hostil ao povo de Deus, o que, por si só, deveria causar certo estranhamento nos leitores: como é que uma mulher moabita pôde entrar no enredo da salvação de Deus, tornando-se a protagonista de todo um livro bíblico? E a resposta é que, em algum momento importante de sua vida, Rute conheceu o Deus de Israel. Tendo sido incluída na família de Elimeleque e de Noemi, Rute foi impactada pela revelação do Criador do universo e por aquilo que ele havia revelado de si mesmo na história de Israel, que começava nos patriarcas e passava pelo êxodo e pela lei de Moisés. Como resultado, Rute depositou sua confiança no Deus vivo, deixando que sua visão de mundo e suas prioridades fossem moldadas em torno do caráter desse Deus.

Consequentemente, diante da possibilidade de começar a vida de novo em Moabe e desfrutar de segurança e estabilidade, Rute discerne que sua tarefa específica naquele momento crítico de sua história não era permanecer na terra natal, mas, sim, retornar a Israel com sua sogra viúva. Em um nível superficial — e segundo os padrões do mundo, a partir dos quais tudo na vida se resume à busca pela realização pessoal —, é óbvio que aquela decisão não fazia muito sentido para quem priorizasse o próprio bem-estar. Aliás, na cena dramática em que Noemi tenta se despedir de suas noras, quando o narrador faz questão de mencionar duas vezes que todas choravam copiosamente (Rt 1.9,14), Orfa decide no final ficar em Moabe. Quantos de nós não seguiríamos o exemplo de Orfa? E o interessante é que, nessa cena, a própria Noemi está tomada de desilusão — ela chega a dizer que Deus estava "contra" ela —, e isso muito provavelmente acabou contribuindo para a decisão de Orfa. Não bastasse a ideia de sair de Moabe para vagar como uma viúva na terra estranha de Israel, Orfa ainda teria de conviver com a amargura da sogra? Algum de nós faria isso?

A questão é que Rute, por sua vez, havia entendido que, por mais segurança e estabilidade que a vida em Moabe lhe pudesse oferecer, permanecer ali significava ficar isolada do povo de Deus e, portanto, da vida e dos propósitos que Deus tinha para seu povo. Nos anos em que Rute conheceu o Deus de Israel, ela muito provavelmente aprendeu que a característica central desse Deus era seu "amor leal" — *hesed* no hebraico. Rute havia entendido que Javé, o Deus pessoal que havia feito uma aliança com Israel, era um Deus que não abandonaria seu povo, a despeito de suas mazelas. Isso significava que, embora o juízo divino pudesse recair sobre Israel quando esse pacto fosse quebrado, as misericórdias de Javé sempre seriam sua palavra final, porque o interesse dele de restaurar sua criação era imutável. Como resultado, muito embora a narrativa jamais atribua culpa a Orfa por ela ter permanecido em Moabe, Rute sabia que a única maneira de responder de acordo com o amor leal, *hesed*, de Javé naquela situação era se ela mesma estendesse seu amor leal, *hesed*, à sua sogra Noemi. E Rute havia entendido também que o *shalom* dela estaria incompleto se esse *shalom* não fosse estendido a Noemi. Então, em uma demonstração de profunda fidelidade, Rute profere um voto comovente de cuidado e de pertencimento à sua sogra: "Não insista comigo para deixá-la e voltar. Aonde você for, irei; onde você viver, lá viverei. Seu povo será o meu povo, e seu Deus, o meu Deus" (Rt 1.16).

Em uma época como a nossa, em que o individualismo reduz o próximo a um mero objeto que podemos usar para nosso benefício ou a um empecilho que devemos superar para conquistar nossos objetivos pessoais — pensando bem, essa mentalidade egoísta remete a Gênesis 3 —, Rute nos lembra do que significa ser promotor de *shalom*: não há *shalom* longe de Deus, e não há *shalom* quando somente eu saio ganhando na história, quando não há cuidado mútuo.

Que convicção de chamado Rute tinha! E isso nos dias conturbados dos juízes!

A implicação disso é que Rute, ao decidir permanecer com Noemi, decidia também pagar um alto preço em relação a seu trabalho. Ora, se ela tivesse ficado em Moabe e se casado de novo com alguém de lá, ela provavelmente teria uma vida um pouco mais confortável. Com um marido jovem e cheio de vigor, ela com certeza teria um ótimo parceiro de trabalho. Porém, em Israel, como viúva e nora de outra viúva, Rute teria de assumir toda a dura tarefa de trazer o sustento de casa sozinha. E mais: teria de enfrentar essa rotina em um contexto em que ela não dispunha de propriedade alguma — terra alguma que fosse dela para cultivar — e em território estrangeiro, de um povo historicamente inimigo de sua nação de origem.

Mas é exatamente esse caminho que Rute decide seguir. Munida da confiança no Deus do *shalom*, que havia se revelado na história da salvação de Israel como sendo cheio de amor leal, Rute não se subtrai: ela arregaça as mangas e começa a catar espigas em uma plantação. E o que acontece então é o início do ponto de virada na história de Rute e de Noemi.

É nesse ponto da história, quando Rute corre atrás de sustento para si e para sua sogra, que deparamos com o segundo protagonista, um homem chamado Boaz. Boaz é apresentado com poucas palavras, mas essas poucas palavras são suficientes para nos oferecer um retrato interessante a seu respeito: "Havia em Belém um homem rico e respeitado chamado Boaz" (Rt 2.1). Ou seja, Boaz era um sujeito bem-sucedido e bem relacionado na sociedade de Belém daquela época — no hebraico, ele é descrito como "rico e poderoso".

Com base nessa simples descrição, conseguimos supor com segurança que Boaz era um trabalhador diligente e dedicado, alguém que levava muito a sério sua ocupação e que tratava com zelo o ministério que Deus lhe havia confiado. Seus armazéns estavam cheios porque ele administrava seus recursos com zelo e fidelidade — ele não era um esbanjador pródigo, mas um poupador e um investidor responsável. Lembremos que a terra havia acabado de passar por um período de fome, e o simples fato de Boaz dispor de funcionários e recursos sugere que ele soube gerenciar sua produção até mesmo ao longo daquela crise.

Agora, o ponto mais importante a se destacar sobre Boaz: o simples fato de que Rute acha interessante colher espigas naquele terreno indica que Boaz era não somente abastado (havia ali espiga em abundância), mas principalmente temente a Deus. A simples presença de espigas no chão para que Rute pudesse apanhá-las mostra que Boaz se preocupava em viver de acordo com o caráter de Deus. No capítulo 2, vimos que a lei de Moisés foi dada ao povo para servir de referência de como Israel devia viver a fim de cumprir sua vocação como reino de sacerdotes perante todas as nações. E, de acordo com Levítico 23.22, a lei obrigava que os proprietários de terra deixassem para trás espigas que tivessem caído no chão, para que os pobres e os estrangeiros pudessem se beneficiar daquelas espigas. Ou seja, a lei ensinava o povo a ser generoso e a não se preocupar o tempo todo com a maximização de ganho. Mas Boaz viveu na época dos juízes, quando "cada um fazia o que parecia certo a seus próprios olhos" (Jz 21.25). Quantos fazendeiros à época seguiam essa instrução de Levítico? Boaz era muito provavelmente a minoria. Enquanto a maioria dos demais agricultores provavelmente estaria preocupada em maximizar sua produção a fim de correr atrás do prejuízo legado por dez anos de fome, Boaz havia decidido trilhar o caminho da fidelidade a Deus e seguir a instrução das Escrituras de deixar algumas espigas para trás. Em outras palavras, embora tivesse prosperado naqueles anos difíceis, Boaz nunca havia deixado de entender que a sobra de sua produção poderia representar a sobrevivência de outros e, por isso, não abriu mão de sua vocação como mordomo de Deus, ainda que isso acarretasse menos lucro.

Não à toa, o texto sugere que Rute ter parado no terreno de Boaz foi fruto da soberania de Deus: "aconteceu de ela ir trabalhar num campo que pertencia a Boaz" (Rt 2.3). Esse "acaso" indica uma "coincidência divina", em que a soberania de Deus age no contexto da fidelidade de seus servos. E Boaz assume protagonismo nessa história porque, embora tivesse sido muito competente no que fazia e tivesse realmente ganhado muito com seu trabalho, ele não enxergava sua ocupação tão somente como meio de acúmulo pessoal. Na verdade, Boaz enxergava sua ocupação como um meio de promover o *shalom* de Deus. Que convicção de chamado Boaz tinha! E isso nos dias conturbados dos juízes!

Ademais, conforme prosseguimos na leitura do livro de Rute, Boaz vai se mostrando alguém cujo interesse ia muito além da simples manutenção da lei: seu próprio coração transbordava de compaixão. Ele enxergava as riquezas que havia adquirido por ser um bom administrador como fruto da graça e da bondade de Deus. Isso fica nítido, primeiro, na maneira como tratava seus empregados. Notemos como as saudações em Rute 2.4, "O SENHOR esteja com vocês" e "O SENHOR o abençoe", sinalizam um ambiente de trabalho em que Javé ocupava o centro das relações.[1] E, segundo, quando Boaz toma conhecimento de que aquela moça nova, que estava catando espigas em sua plantação, era a tal da nora de Noemi que havia deixado Moabe para acompanhar sua sogra de volta a Israel em uma demonstração de profunda lealdade, ele se identifica com a atitude de Rute e decide despejar sobre ela a mesma generosidade que Deus havia despejado sobre ele:

> Ouça, minha filha. Quando for colher espigas, fique conosco; não vá a nenhum outro campo. Acompanhe as moças que trabalham para mim. Observe em que parte do campo estão colhendo e vá atrás delas. Avisei os homens para não a tratarem mal. E, quando tiver sede, sirva-se da água que os servos tiram do poço.
>
> Rute 2.8-9

E também:

> Sei de tudo que você fez por sua sogra desde a morte de seu marido. Ouvi falar de como você deixou seu pai, sua mãe e sua própria terra para viver aqui no meio de desconhecidos. Que o SENHOR, o Deus de Israel, sob cujas asas você veio se refugiar, a recompense ricamente pelo que você fez.
>
> Rute 2.11-12

Boaz podia muito bem ter deixado apenas que Rute catasse as espigas em sua propriedade, sem criar qualquer tipo de vínculo com ela — como muitos de nós costumamos fazer

[1] É claro que, em uma sociedade (secular) como a nossa, essa prática deve acontecer muito mais a partir de nossas atitudes do que a partir de nossas palavras. Aliás, é até triste que, hoje em dia, falar "evangeliquês" pode ser interpretado como sintoma de mau-caratismo. Mas, em Israel, nos tempos dos juízes, a atitude de Boaz deve ser vista como bastante positiva.

nos cruzamentos das grandes cidades —, mas ele percorre a "segunda milha": não somente guarda a lei, mas também estende a Rute a bondade de Deus e a trata com ternura. Em suma, Boaz também sabia que Javé era um Deus de *hesed* e, de maneira muito semelhante a Rute, também havia decidido viver à luz dessa realidade. Precisamente porque Boaz entendia que Deus queria usar seu trabalho para dar continuidade a seus propósitos de *shalom* no mundo, Deus honra a disposição de Boaz e usa a vida dele para concretizar seus planos naquela geração. É instrutivo, aliás, que os votos de bênçãos que ele profere sobre Rute sejam precisamente de *shalom*. No hebraico, Rute 2.12 diz literalmente: "Que Javé traga *shalom* em seu trabalho, e que seu salário seja *shalom* por parte de Javé, Deus de Israel".

Desse modo, em meio ao período mais conturbado da história de Israel, no ápice do drama familiar de Rute e Noemi, em que a maioria das pessoas só enxergava "espinhos" e "ervas daninhas", deparamos com esperança, porque Deus continua a levar a cabo seus planos de restaurar o cosmo, usando pessoas que, embora ordinárias, estavam comprometidas com seu extraordinário *shalom*.

A história de Rute não termina aqui. No próximo capítulo, veremos que, a partir desse primeiro encontro entre Rute e Boaz, algo muito maior acontece. Por ora, cabe destacar que esse encontro se dá num contexto em que ambos estão *trabalhando*, no momento mais ordinário de seu dia a dia. Deus pode fazer de nosso trabalho um espaço sagrado de redenção. Muitas vezes, é no silêncio da vida ordinária de pessoas que simplesmente seguem seu chamado com fidelidade no cotidiano — como Boaz e Rute — que Deus continua a escrever sua história.

4
A participação de Rute e Boaz no enredo da salvação

Fidelidade à vocação de estabelecer *shalom* e de viver à luz do caráter de Deus independentemente das circunstâncias em um mundo quebrado: esses são os componentes de uma visão bíblica do trabalho e que estão presentes na história de Rute.

Agora, se trabalhar vai além das tarefas diárias que realizamos em nossas profissões, e se trabalhar tem a ver com a participação no desejo de Deus de estabelecer plenitude de vida na criação, os efeitos de nosso trabalho extrapolam e muito o que nossos olhos podem contabilizar em termos quantitativos. E o que é realmente maravilhoso na história de Rute é que aquilo que acontece entre os personagens do livro em seu ambiente de trabalho desemboca em eventos cuja grandeza eles nem sequer podiam perceber, mas cujos frutos o povo de Deus colhe até hoje. Por meio desse relato, somos lembrados de que nosso trabalho faz sentido não somente por nos trazer um senso de propósito individual, mas também porque nossa dedicação à produção de *shalom* pertence à história que Deus continua a escrever até a consumação de seus propósitos redentivos na Nova Jerusalém. Trata-se, de fato, de um exercício de esperança.

Mas analisemos detidamente o restante da história de Rute. A segunda parte do livro nos conta como aquele primeiro encontro entre Rute e Boaz — que aconteceu justamente no contexto em que Rute estendia *hesed* a Noemi e recebia *hesed* de Boaz — culmina em casamento. E o que nos chama atenção é que tudo o que acontece a partir daquele primeiro encontro é uma reação em cadeia da disposição de Rute e de Boaz de seguirem o desejo de Deus de estabelecer seu *shalom* no mundo.

Começa pela reação de Noemi ao ver Rute voltando do trabalho. Quando a sogra vê a nora entrando em casa com um fardo inteiro de alimento sobre a cabeça, mais um punhado de grãos torrados, Noemi finalmente desperta de sua desilusão e se enche de esperança:

> "Onde você colheu todo esse cereal?", perguntou Noemi. "Onde você trabalhou hoje? Que seja abençoado quem a ajudou!"
>
> Então Rute contou à sogra com quem havia trabalhado: "O homem com quem trabalhei hoje se chama Boaz".
>
> "O SENHOR o abençoe!", disse Noemi à nora. "O SENHOR não deixou de lado sua bondade tanto pelos vivos como pelos mortos. Esse homem é um de nossos parentes mais próximos, o resgatador de nossa família."
>
> Rute 2.19-20

Convém contrastar essas palavras com aquilo que Noemi vinha proferindo após a morte de seu marido e de seus filhos: "o próprio SENHOR está contra mim" (Rt 1.13), "o SENHOR me fez sofrer" e "o Todo-Poderoso trouxe calamidade sobre mim" (Rt 1.21). Ato contínuo, sabendo que Boaz era um dos parentes de Elimeleque, Noemi orquestra um encontro "romântico" entre Boaz e Rute:

> Minha filha, é hora de eu encontrar para você um lar seguro e feliz. Esse Boaz, senhor das moças com quem você trabalhou, é nosso parente próximo. Hoje à noite, ele estará na eira, onde se debulha a cevada. Faça o que lhe direi: tome banho,

> perfume-se e vista sua melhor roupa. Depois vá até lá, mas não deixe que Boaz a veja enquanto ele não tiver terminado de comer e beber. Repare bem no lugar onde ele se deitar. Então vá, descubra os pés dele e deite-se ali. Ele lhe dirá o que fazer.
>
> Rute 3.1-4

A linguagem e os padrões culturais pressupostos aqui estão um tanto distantes de nós e, por isso, nos causam algum estranhamento. Basicamente, Noemi está aconselhando Rute a pedir a mão — ou melhor, o pé! — de Boaz em casamento. Tudo indica que, sendo o homem diligente que era, Boaz tinha o hábito de passar a noite na eira na época da colheita, provavelmente para poder fazer algumas "horas extras" e se precaver de furtos durante a madrugada. Noemi, por sua vez, sabendo que Boaz estaria certa noite sozinho na eira, instrui Rute a acordá-lo com um gesto cujo significado qualquer homem daquele contexto entenderia: descobrir a parte inferior das vestes de Boaz, no meio da noite, conotava algo um pouco mais específico que permitir a passagem de uma brisa nas canelas. É um exagero concluir, como fazem alguns comentaristas, que Rute estava se apresentando como alguém sexualmente disponível a Boaz, já que não há nada no texto indicando essa intenção — na verdade, em resposta ao ato de Rute, o próprio Boaz a reconhece como uma "mulher virtuosa" (Rt 3.11). De todo modo, quando Boaz desperta depois de um tempo, com a parte inferior de seu corpo descoberta e uma jovem perfumada próxima a seus pés, ele compreende muito bem a mensagem.[1]

[1] Veja mais em Frederic Bush, *Ruth, Esther*, World Biblical Commentary, vol. 9 (Grand Rapids, MI: Zondervan Academic, 1996), p. 152-3.

É importante entendermos, porém, que o conselho dado por Noemi a Rute não consistia em mero oportunismo, como uma espécie de "golpe do baú". Por trás da decisão de arranjar o casamento de Rute com Boaz estava, na verdade, um padrão muito robusto de justiça social presente na própria Torá. A lei de Moisés prescrevia as responsabilidades que os membros mais abastados de um clã tinham em relação à sobrevivência de membros menos abastados do mesmo clã:

> Sempre que uma propriedade for negociada, o vendedor deverá ter o direito de comprá-la de volta. Se alguém do seu povo empobrecer e for obrigado a vender parte das terras da família, um parente próximo deverá comprar a propriedade de volta para ele. Se não houver qualquer parente próximo para comprar a propriedade, mas a pessoa que a vendeu conseguir dinheiro suficiente para comprá-la de volta, terá o direito de resgatá-la de quem a comprou. Do preço da terra será descontado um valor proporcional ao número de anos até o próximo Ano do Jubileu. Desse modo, o primeiro dono da propriedade terá condições de retornar à sua terra. [...]
>
> Se algum estrangeiro ou residente temporário enriquecer enquanto vive entre vocês, e se algum do seu povo empobrecer e for obrigado a se vender para esse estrangeiro ou para um membro da família dele, continuará a ter o direito de ser resgatado, mesmo depois de comprado. Poderá ser comprado de volta por um irmão, tio ou primo. Aliás, qualquer parente próximo poderá resgatá-lo. Se prosperar, também poderá resgatar a si mesmo.
>
> Levítico 25.24-27,47-49

Trocando em miúdos, a lei dizia que um membro mais abastado de um clã devia servir de "resgatador" de outro membro menos abastado do mesmo clã, comprando de volta propriedades que houvessem sido vendidas em razão de alguma necessidade financeira. E o resgatador era responsável também por readquirir a emancipação de algum parente que pudesse ter se entregado como escravo por conta de alguma dívida.

Ademais, em Deuteronômio 25.5-10, vemos que a lei, profundamente preocupada com viúvas sem descendentes — uma situação terrível no mundo antigo que ocasionava nada menos que a miséria da pessoa, já que não havia programas governamentais de seguridade social —, obrigava que um irmão (ou parente próximo) do falecido desse à mulher um filho para que este herdasse o que porventura havia pertencido ao primeiro marido:

> Se dois irmãos estiverem morando juntos na mesma propriedade e um deles morrer sem deixar filhos, a viúva não se casará com alguém de fora da família. O irmão de seu marido se casará com ela, e eles terão relações sexuais. Desse modo, ele cumprirá os deveres de cunhado. O primeiro filho que ela tiver com ele será considerado filho do irmão falecido, para que seu nome não seja esquecido em Israel.
>
> Se, contudo, o homem se recusar a casar-se com a viúva de seu irmão, ela irá até a porta da cidade e dirá às autoridades ali reunidas: "O irmão de meu falecido esposo se recusa a preservar o nome do irmão em Israel. Não quer cumprir os deveres de cunhado, casando-se comigo". As autoridades da cidade o convocarão e conversarão com ele. Se, ainda assim, ele insistir e disser: "Não quero me casar com ela", a viúva se aproximará do homem na presença das autoridades, tirará a sandália do pé dele e cuspirá em seu rosto. Em seguida, ela declarará: "É isso que acontece com o homem que se recusa a dar filhos para seu

irmão". Desse dia em diante, a família dele será chamada em Israel de "família do descalçado".

Deuteronômio 25.5-10

Em poucas palavras, para que a viúva não ficasse desamparada no futuro, sem qualquer possibilidade de perpetuar as próximas gerações na terra, o irmão do falecido devia dar a ela um descendente. É estranho para nós, eu sei, mas notemos a força do mandamento: o ponto é proporcionar ao menos o mínimo de *shalom* à viúva.

É por isso que, ao tomar conhecimento de que aqueles grãos haviam sido concedidos por Boaz — um parente próximo de Elimeleque —, Noemi menciona também o fato de que ele era seu "resgatador". Quando Noemi vê que Boaz não somente poderia cumprir a responsabilidade de um resgatador, mas também era alguém extremamente generoso, preocupado em produzir o *shalom* de Deus por meio de seus recursos, ela vislumbra a possibilidade de experimentar um pouco da nova criação que Deus gostaria de ver em seu povo.

O detalhe, obviamente, é que Noemi poderia ter pedido ajuda a Boaz sem levar em consideração o futuro de Rute — bastaria pedir que Boaz readquirisse as propriedades que o finado Elimeleque havia perdido durante aqueles dez anos de fome, segundo Levítico 25, sem se preocupar com a descendência de Rute e com a visão de Deuteronômio 25. A questão é que Noemi teria Rute provavelmente até morrer, mas para onde iria Rute quando Noemi morresse?

Contudo, em uma reação em cadeia, o amor leal que Rute havia estendido a Noemi agora encontrava uma contrapartida no esforço de Noemi de arrumar um provedor para Rute.

O que Noemi sugere a Rute, então, é que ela apele a Boaz para que ele faça tudo o que Deus havia prescrito na lei de Moisés para aquele tipo de situação. E o interessante é que o pedido de Rute a Boaz, na eira, evocava justamente as palavras de bênção que o próprio Boaz havia proferido sobre Rute no quintal de sua casa no capítulo anterior (Rt 2.12). Da mesma maneira que Boaz havia reconhecido que Rute tinha se refugiado "sob as *asas* de Javé", agora Rute pedia para que Boaz fosse a expressão dessa realidade: no hebraico, ela pede que Boaz "estenda suas *asas* sobre mim" (Rt 3.9) — isto é, "seja você mesmo a resposta da bênção que você pronunciou sobre mim e seja você mesmo a manifestação do *shalom* de Deus sobre mim".

Dito e feito: Boaz, homem profundamente comprometido com o *shalom* de Deus, assume esse papel, aceita acolher Rute e envia sua futura esposa de volta para casa com um sinal claro a Noemi de que ele não deixaria de cumprir sua promessa.

> Então Boaz exclamou: "O SENHOR a abençoe, minha filha! Você demonstra agora ainda mais lealdade por sua família que antes, pois não foi atrás de um homem mais jovem, seja rico ou pobre. Não se preocupe com nada, minha filha. Farei o que me pediu, pois toda a cidade sabe que você é uma mulher virtuosa". [...]
>
> Rute ficou deitada aos pés de Boaz até de manhã, mas levantou-se antes de raiar o dia, pois Boaz tinha dito: "Ninguém deve saber que uma mulher esteve na eira". Então Boaz lhe disse: "Traga-me sua capa e estenda aqui". Ele despejou sobre a capa seis medidas de cevada e a pôs sobre as costas de Rute. Depois ele retornou à cidade.
>
> Quando Rute voltou à sua sogra, ela lhe perguntou: "Como foi, minha filha?".

> Rute contou a Noemi tudo que Boaz havia feito e acrescentou: "Ele me deu estas seis medidas de cevada e disse: 'Não volte para sua sogra de mãos vazias'".
>
> Então Noemi disse: "Tenha paciência, minha filha, até sabermos o que vai acontecer. Boaz não descansará enquanto não resolver esta questão ainda hoje".
>
> Rute 3.10-11,14-18

Neste ponto, no entanto, encontramos um obstáculo que ameaça impedir o final feliz que nós, leitores, tanto esperamos para Rute e Boaz: há um parente que, por ser mais próximo a Elimeleque do que Boaz, teria prioridade no processo de se tornar o resgatador de Noemi e Rute. O próprio Boaz, em toda sua integridade, reconhece isso: "embora eu seja de fato um dos resgatadores de sua família, há outro homem que é parente mais próximo que eu" (Rt 3.12).

O que vemos no capítulo 4, então, é que Boaz se apressa em trabalhar um meio de cumprir sua promessa da forma mais correta possível. Ele se dirige ao principal ponto de encontro daquela cidade e se dá ao trabalho de juntar dez anciãos para julgar o caso, às claras, diante de todas aquelas testemunhas. E para nossa surpresa — que, na verdade, a essa altura, já não é mais surpresa alguma —, "coincidentemente", o parente mais próximo de Elimeleque, que tinha a prerrogativa de ser o resgatador de Noemi e Rute, passa por lá. Assim, Boaz inicia aquela reunião, na qual a questão relacionada às viúvas é apresentada em termos de uma propriedade que Noemi possuía.

De fato, esta é a primeira vez que somos informados da existência de um terreno que havia outrora pertencido a Noemi (e Elimeleque). Que propriedade era aquela e como as viúvas não tiveram seu usufruto desde que haviam chegado em Belém permanecem um mistério para nós hoje. Mas implícito nesse cenário está o fato de que, na época em que Elimeleque decidiu migrar para Moabe com sua esposa e seus dois filhos, mais de uma década antes, ele possuía um terreno que havia se tornado improdutivo, em razão da fome que estava assolando a terra. O que provavelmente aconteceu foi que Elimeleque resolveu pegar um empréstimo antes de partir para Moabe, entregando o terreno ao credor como uma espécie de garantia, na esperança de poder reaver essa propriedade em seu eventual retorno a Belém. O problema é que não somente Elimeleque veio a falecer depois de um tempo, como também algo muito sério deve ter acontecido com a pessoa a quem o terreno havia sido penhorado. Como resultado, em algum momento que não conseguimos discriminar com precisão, o terreno acabou parando nas mãos de outra pessoa, que possivelmente nada tinha a ver com a família de Elimeleque. No momento em que Noemi volta a Belém, portanto, ela não somente está viúva como também sem herdeiros e completamente desprovida de amparo financeiro ou jurídico para poder fazer algum tipo de reintegração de posse por ela mesma.

Com isso em mente, fica evidente que Boaz se coloca como uma espécie de representante legal de Noemi, intercedendo por ela para que aquela situação do terreno pudesse ser resolvida. E a primeira coisa que Boaz faz é apresentar a questão diante das testemunhas, dizendo que Noemi simplesmente desejava "vender" a propriedade. Ou seja, "vender" não no sentido de ficar com o dinheiro referente a essa venda — até porque Elimeleque havia perdido o direito sobre a propriedade quando tinha entregado como penhor do empréstimo —, mas, sim, requerer que o resgatador pagasse a quantia referente à dívida de Elimeleque e, em troca, readquirisse para Noemi os direitos plenos sobre a propriedade. É isso que Boaz propõe ao parente mais próximo de Elimeleque, da maneira mais objetiva possível:

> Você conhece Noemi, que voltou de Moabe. Ela está vendendo a propriedade de nosso parente Elimeleque. Pensei que devia falar com você a esse respeito, para que você a resgate, caso tenha interesse. Se quer a propriedade, compre-a na presença das autoridades do meu povo. Se não tiver interesse por ela, diga-me logo, porque, depois de você, sou o resgatador mais próximo.
>
> Rute 4.3-4

O detalhe que faz toda a diferença, porém, é que, para o parente mais próximo de Elimeleque, resgatar aquele terreno de Noemi, naquele momento, seria um "negócio da China". Primeiro, porque o preço a ser pago era provavelmente muito mais baixo que o valor real da propriedade, já que correspondia ao empréstimo que Elimeleque havia feito dez anos antes, num período de profunda crise econômica. E, segundo e mais importante, porque Noemi já não tinha idade para produzir herdeiros. A implicação seria que, além de poder comprar um terreno por um preço muito abaixo do mercado, aquele homem, muito em breve, poderia desfrutar de todos os benefícios daquela terra, sem ter de se preocupar com repartir dividendos com possíveis herdeiros de Elimeleque. Consequentemente, mesmo que aquele homem tivesse de se casar com Noemi, o negócio proposto continuava a ser muito interessante do ponto de vista financeiro — Noemi não teria filhos, o que significava que, depois de alguns anos, a propriedade seria somente dele. E, de fato, vendo naquele terreno uma excelente oportunidade de negócio, o parente mais próximo de Elimeleque aceita, sem titubear, a proposta feita por Boaz: "Está certo; eu resgatarei a propriedade" (Rt 4.4).

A grande questão é que Noemi, tendo sido profundamente tocada pela lealdade de sua nora, havia transferido para Rute qualquer direito de herança que porventura restasse. E o pedido que Rute havia feito para Boaz no capítulo anterior, em conformidade com o plano de Noemi, era que Boaz resolvesse seu futuro não somente do ponto de vista do sustento financeiro, mas, principalmente, do ponto de vista hereditário. Rute, em outras palavras, pede a Boaz um marido e uma descendência, para que o nome de Elimeleque pudesse ser perpetuado na terra. Assim, no momento em que o parente mais próximo de Elimeleque se prontifica a atuar como o resgatador de Noemi, Boaz informa seu interlocutor e todas as testemunhas presentes de algo vital que aquela transação acarretaria: ao adquirir o terreno, o resgatador estaria obrigado também a prover para Rute uma descendência: "É claro que, ao comprar a propriedade de Noemi, você também deve se casar com Rute, a viúva moabita. Desse modo, ela poderá ter filhos que levem o nome de seu marido e mantenham a herança na família dele" (Rt 4.5).

E é precisamente neste ponto que aquele homem volta atrás. De repente, num piscar de olhos, aquele "negócio da China" soou como um "presente grego". Ao se comprometer em acolher Rute, aquele homem sabia que deveria dividir aquela propriedade com os futuros descendentes dela — no final das contas, ele perderia dinheiro com aquilo. Em resposta, com a mesma prontidão demonstrada um pouco antes para comprar o terreno, quando fica sabendo de Rute o homem desiste de agir como redentor de Noemi: "Se é assim, não posso resgatá-la" (Rt 4.6). Diante disso, Boaz se encontra em um cenário juridicamente legítimo, no qual poderia cumprir a promessa que havia feito a Rute: Rute finalmente teria um marido e uma descendência — e, melhor, com o homem que lhe havia arrebatado o coração com sua dedicação ao *shalom* de Deus.

Por uma perspectiva estritamente legal, nada do que aquele parente mais próximo de Elimeleque havia feito contradizia a lei de Moisés. Assim como Boaz se preocupou em fazer tudo conforme as regras do jogo, não havia nada na decisão final do outro homem que fosse reprovável. Mas o que fica claro, à luz do que veio antes na narrativa, é que Boaz não pensou somente no que *ele* poderia ter lucrado naquele processo — mais do que seguir a lei, ele agiu segundo a inteireza do caráter de Deus, segundo o *hesed* de Javé, genuinamente se preocupando com o *shalom* de Rute e de Noemi. O outro homem, por sua vez, agiu inteiramente dentro da lei, mas pensando somente no próprio benefício. Isso é importante porque, no cerne do livro de Rute, está a história de como Deus, em sua soberania, cumpre seu bom propósito por meio de pessoas que são fiéis à sua graça. E, da mesma maneira que Rute adquire protagonismo na história por causa de sua fidelidade ao *shalom* de Deus, em contraste com Orfa, o parente mais próximo de Elimeleque passa batido de forma anônima — seu nome nem sequer é mencionado na história.

E o desfecho da história não poderia ser mais comovente:

> Boaz levou Rute para a casa dele, e ela se tornou sua esposa. Quando Boaz teve relações com ela, o SENHOR permitiu que ela engravidasse, e ela deu à luz um filho. Então as mulheres da

cidade disseram a Noemi: "Louvado seja o SENHOR, que hoje proveu um resgatador para sua família! Que este menino seja famoso em Israel! Que ele restaure seu vigor e cuide de você em sua velhice, pois ele é filho de sua nora, que a ama e que tem sido melhor para você do que sete filhos!".

Noemi pegou o bebê, aninhou-o junto ao peito e passou a cuidar dele como se fosse seu filho. As mulheres da vizinhança disseram: "Noemi tem um filho outra vez!", e lhe deram o nome de Obede. Ele é o pai de Jessé, pai de Davi.

Rute 4.13-17

No final do livro, vemos que o fruto da fidelidade de cada pessoa envolvida nessa história foi muito maior do que elas mesmas conseguiam perceber: a partir dessa interação em que Boaz e Rute estendem o amor leal de Deus um ao outro e promovem o *shalom* de Deus um na vida do outro, Deus dá continuidade a seu plano redentivo já pensando nas gerações seguintes. Boaz, o solteirão mais cobiçado de Belém, se casa com Rute, e os dois têm um filho chamado Obede, que, por sua vez, se tornaria o pai de Jessé e o avô de ninguém menos que o grande rei Davi, o precursor de Jesus de Nazaré. Em outras palavras, Boaz e Rute mal poderiam imaginar — e eles morreram sem saber disso — que sua confiança em Deus e sua fidelidade aos caminhos de Deus preparariam o terreno para a vinda de ninguém menos que Davi, o predecessor de Jesus Cristo, o Salvador do mundo. E todos nós hoje participamos dessa mesma história e dessa mesma esperança.

5
Trabalho, *shalom* e esperança na história de José

Nos dois capítulos anteriores, vimos como a história contada no livro de Rute ilustra a maneira de Deus cumprir seus propósitos redentivos por meio de pessoas comuns que se dispõem a viver de acordo com a revelação divina em todos os afazeres da vida. Quando examinamos o entrelaçamento dos caminhos de Noemi, Rute e Boaz, é inevitável concluir que a finalidade última de nosso trabalho — nossa construção de *shalom* e nossa esperança na restauração final de todo o cosmo — é sem dúvida participar do plano maravilhoso que Deus tem para o mundo. De fato, o "plano maravilhoso de Deus" é um assunto com o qual quase todos os crentes parecem estar bastante familiarizados. Que atire a primeira pedra quem nunca disse a alguém: "Jesus te ama e tem um plano maravilhoso para a sua vida"!

A questão é que, infelizmente, o que muitas pessoas entendem hoje sobre o "plano maravilhoso de Deus" tem pouco a ver com a compreensão bíblica desse assunto. A cultura em que vivemos prega que o sentido da vida não se encontra em nenhum outro lugar, senão na realização individual de cada pessoa. Assim, o que parece dar razão à vida de muitos é ter um sonho individual (para não dizer individualista) atrás do qual possam correr. E quanto mais suas ambições são alcançadas, mais as pessoas pensam se aproximar da plenitude de seu "destino" — do "plano maravilhoso de Deus" para eles. Não é à toa que as mensagens de maior sucesso na atualidade são aquelas que exaltam jornadas que, a despeito das adversidades, alcançaram seus mais elevados sonhos. Com isso, muitas pessoas passaram a acreditar que, se um dia elas alcançarem o "topo" de suas aspirações, a vida se resolverá por completo — elas finalmente encontrarão seu propósito. Como resultado, alguém habituado a enxergar o mundo dessa forma sempre traduz a afirmação de que "Deus tem um plano maravilhoso para a sua vida" em termos de "Deus quer ajudar você a realizar seus próprios sonhos".

Essa dissonância de compreensão, porém, não torna mentirosa a afirmação de que Jesus de fato nos ama e tem um plano maravilhoso para nossa vida. Quando olhamos para a mensagem de Gênesis a Apocalipse, inclusive na história de Rute, percebemos que o fio condutor do rico mosaico do enredo bíblico é precisamente o propósito sublime de Deus para a humanidade e para todo o universo. Então, sim, absolutamente, Jesus nos ama e, sim, absolutamente, Jesus tem um plano maravilhoso para nossa vida. No entanto, segundo as Escrituras, esse plano maravilhoso de Deus não se reduz a nossas aspirações pessoais (muitas vezes egoístas): o plano maravilhoso de Deus para nossa vida é maravilhoso porque ele pertence ao plano maravilhoso mais amplo que Deus tem de restaurar o mundo. Posto de outro modo: o plano maravilhoso que Deus tem para mim e para você está relacionado ao desejo de Deus de redimir sua criação, fazendo dela seu espaço sagrado de habitação, um lugar de *shalom* — de paz, de justiça, de florescimento, de plenitude de vida. Isso significa que só faz sentido falar do plano de Deus para a *minha* vida, quando eu entendo que a *minha* vida faz parte de um retrato muito mais amplo daquilo que *Deus* deseja realizar no mundo.

Entre outras coisas, é disso que fala também a trajetória de José, filho de Jacó. Trata-se de uma história crucial para nossa discussão porque, além de nos lembrar do escopo daquilo que Deus quer realizar por meio de seu povo, ela nos ensina sobre o que realmente está em jogo quando entendemos que Deus deseja cumprir sua vontade em nossa vida.

Comecemos então essa história com o texto de Gênesis 37.2-11:

> Quando José tinha 17 anos, cuidava dos rebanhos de seu pai. Trabalhava com seus meios-irmãos, os filhos de Bila e Zilpa, mulheres de seu pai, e contava para seu pai algumas das coisas erradas que seus irmãos faziam.
>
> Jacó amava José mais que a qualquer outro de seus filhos, pois José havia nascido quando Jacó era idoso. Por isso, certo dia Jacó encomendou um presente especial para José: uma linda túnica. Os irmãos de José, por sua vez, o odiavam, pois o pai deles o amava mais que a todos os outros filhos. Não eram capazes de lhe dizer uma única palavra amigável.
>
> Certa noite, José teve um sonho e, quando o contou a seus irmãos, eles o odiaram ainda mais. "Ouçam este sonho que tive", disse ele. "Estávamos no campo, amarrando feixes de trigo. De repente, meu feixe se levantou e ficou em pé, e seus feixes se juntaram ao redor do meu e se curvaram diante dele!"
>
> Seus irmãos responderam: "Você imagina que será nosso rei? Pensa mesmo que nos governará?". E o odiaram ainda mais por causa de seus sonhos e da maneira como os contava.
>
> Pouco tempo depois, José teve outro sonho e, mais uma vez, contou-o a seus irmãos. "Ouçam, tive outro sonho", disse ele. "O sol, a lua e onze estrelas se curvavam diante de mim!" Dessa

vez, contou o sonho não apenas aos irmãos, mas também ao pai, que o repreendeu, dizendo: "Que sonho é esse? Por acaso eu, sua mãe e seus irmãos viremos e nos curvaremos até o chão diante de você?".

Os irmãos de José ficaram com inveja dele, mas seu pai se perguntou qual seria o significado dos sonhos.

José pertence a uma família sobre a qual recai grande expectativa quanto à realização dos propósitos de Deus no mundo. O bisavô de José foi ninguém menos que o grande patriarca Abraão, a quem Deus deu a promessa de estabelecer seus propósitos em toda a terra e a partir de quem Deus formou seu povo. Após a entrada do pecado no mundo em Gênesis 3, Abraão foi a primeira pessoa na Bíblia a ouvir Deus falar que tinha um "plano maravilhoso" para a vida dele: "Farei de você uma grande nação. [...] Por meio de você, todas as famílias da terra serão abençoadas" (Gn 12.2-3). Desse modo, a história de José deve ser interpretada em continuidade com a salvação que o Criador desejava realizar a partir de Abraão.

Agora, se há uma história na Bíblia que tem sido usada equivocadamente para afirmar que o plano maravilhoso de Deus diz respeito à realização de nossos próprios sonhos individuais, essa história é a de José. Isso porque a jornada de José se inicia literalmente com um sonho que ele teve em um momento de sua vida, e termina com ele alcançando o "topo" do mundo, como o braço direito do homem mais poderoso do planeta de sua época. Na visão de muitos, José seria o personagem perfeito para uma biografia do tipo "Vencendo na vida com a ajuda de Deus". Entretanto, com a devida atenção, percebe-se que a história de José nos diz algo um tanto mais profundo.

Voltemos um pouco no tempo. Quando a Bíblia fala sobre o plano maravilhoso que Deus começou a realizar em Abraão, a humanidade já não experimenta a harmonia do jardim do Éden. Isso significa que os propósitos de Deus necessariamente envolvem lidar com a realidade do pecado e com seus efeitos que acometem todos os habitantes da terra, inclusive Abraão e seus descendentes. Longe de nos contar como Deus ajuda José a alcançar seus objetivos pessoais, a história de José nos conta como Deus realiza seu plano maravilhoso *apesar* dos objetivos pessoais de José. Aliás, um dos pontos mais importantes dessa história é que parte essencial da vontade de Deus é não somente *usar* a vida de José, mas principalmente *transformar* a vida de José. Em outras palavras, o plano maravilhoso de Deus inclui a redenção das pessoas envolvidas nesse plano.

E, sem dúvida, se há algo que Gênesis nos lembra é que aquilo de que os descendentes de Abraão precisam para que os propósitos de Deus possam seguir adiante não é um plano de carreira, mas, sim, uma cura profunda de caráter. Confesso que sempre que leio o começo da história de José, tenho dificuldade de acreditar que Deus teria um "plano maravilhoso" para ele, pois tudo o que lemos em Gênesis 37 indica exatamente o contrário. Se o problema central no enredo de Rute era a presença dos "espinhos" e das "ervas daninhas" nas circunstâncias em que os personagens se encontravam, a impressão que dá na história de José é que não há como aquilo que Deus iniciou em Abraão tornar-se realidade, porque a matéria-prima que Deus tem à disposição é de baixíssima qualidade — a família de José é extremamente disfuncional, e o próprio José não parece assim tão promissor.

José era o penúltimo dos doze filhos homens de Jacó, e esse fato, por si só, já levanta algumas questões. Antes de se casar, Jacó havia se apaixonado por Raquel, a filha mais nova de um sujeito chamado Labão. Só que esse Labão era um tanto quanto malandro e só pensava no que podia ganhar com os outros. O desejo de Labão era, na verdade, que Jacó se casasse com sua primeira filha, Lia. Jacó, então, faz um trato com Labão e se propõe trabalhar para ele por sete anos, a fim de que, ao término desses sete anos, pudesse se casar com Raquel. (O mundo antigo era diferente do nosso em questões de acordos matrimoniais.) Labão concorda, mas, em vez de dar Raquel para se casar com Jacó ao término daqueles sete anos, dá Lia. O amor da vida de Jacó, porém, era Raquel, não Lia. Teimoso que era, Jacó se compromete a trabalhar mais sete anos para poder ter Raquel como esposa. E Labão, oportunista que era, aceita ter mais sete anos da mão de obra de Jacó. Por fim, depois de catorze anos de trabalho, Jacó se vê com duas esposas: Lia, a mulher com a qual havia sido compelido a se casar, e Raquel, a verdadeira "tampa de sua panela".

Mas, para piorar aquela bagunça, somente Lia podia ter filhos, e é bem provável que isso tenha feito com que ela contasse vantagem em relação a Raquel. Raquel podia ser a preferida, mas era Lia quem dava filhos a Jacó. Assim, depois que Jacó tem quatro filhos com Lia — Rúben, Simeão, Levi e Judá —, Raquel chega ao limite da humilhação e manda Jacó fazer filhos para ela por meio de uma de suas servas, Bila. (De novo: o mundo antigo era bem diferente do nosso...) E Jacó vem a ter dois filhos por intermédio de Bila: Dã e Naftali. Não muito tempo depois, porém, Lia também decide dar uma de suas servas, Zilpa, para que Jacó faça filhos com ela.

E Zilpa dá à luz outros dois filhos para Jacó: Gade e Aser. E, quando pensamos que essa competição terminou, Lia tem mais dois filhos com Jacó: Issacar e Zebulom.

À luz desses fatos, o narrador nos leva a imaginar como era a atmosfera dentro da casa do Jacó. Aquele ambiente inclui duas esposas que, apesar de serem irmãs, se enxergam como rivais. Os dez moleques de Jacó também não se gostam, já que seis deles foram gerados por Lia, dois por uma serva de Raquel, e outros dois por outra serva de Lia. E a mulher do coração do Jacó, Raquel, permanece sem filhos paridos por ela própria. Uma confusão só! É fácil de imaginar os seis filhos de Lia — sendo a maioria e tendo os mais velhos no grupo — se juntando na hora da refeição para pegar mais comida do que os outros quatro meios-irmãos. E o desprezo que as mulheres adultas daquela casa demonstravam para com as crianças que não tinham sido geradas por elas? Os olhares, o tom de voz, as agressões verbais e físicas, o favoritismo, as atitudes passivas-agressivas, as intrigas. E é fácil de imaginar Jacó, no meio de tudo isso, tendo de ouvir as queixas de todas essas pessoas e tendo de pensar o tempo todo em como compensar a humilhação de Raquel, a mulher de sua vida.

Por falar em Jacó, ele próprio não era inocente nessa história. De todos os personagens bíblicos que pertenciam à descendência de Abraão, Jacó talvez seja o pior exemplo de homem. O nome Jacó significa "suplantador", e ele havia recebido esse nome de seu pai, Isaque, porque no dia de seu nascimento saiu da barriga da mãe agarrado no calcanhar de seu irmão gêmeo, Esaú. Desde muito cedo, Jacó gostava de seguir a famosa "lei de Gérson" e tirar vantagem em tudo. E, antes de Deus se revelar a Jacó, ele estava sempre buscando se dar bem enganando outras pessoas, inclusive membros de sua família. Ao ser trapaceado por Labão, na verdade, Jacó provou do próprio veneno.

Todavia, em um momento crucial na história da família de Jacó, acontece uma reviravolta: Deus decide fazer um milagre na vida de Raquel, de modo que ela finalmente dá à luz seu primeiro filho, José. E, quando José nasce, a humilhação de Raquel, a mulher favorita de Jacó, finalmente se reverte. Ela agora poderia reassumir uma posição de poder dentro daquela casa. Além disso, José, sendo o filho da mulher que Jacó tanto amava, imediatamente passa a ser o centro das atenções. Embora fosse o décimo primeiro filho homem daquele lar, José era o primeiro filho de Raquel, fruto de uma intervenção divina (Gn 30.22), e portanto o "primeiro" filho de Jacó também. De fato, José era tão preferido por Jacó que este chegou a mandar tecer uma túnica especial para seu caçula — qualquer pessoa que entrasse naquela casa saberia que José era o príncipe, o menino dos olhos do papai.

Não surpreende, então, que o narrador faça questão de indicar que tipo de menino José foi criado para ser. Em Gênesis 37.2, encontramos a informação nada trivial de que José "contava para seu pai algumas das coisas erradas que seus irmãos faziam". É o típico filho mimado, que desfruta de favores exclusivos dos pais e, por isso, se acha no direito de reportar os erros de seus irmãos. E, como se não bastasse, enquanto os outros filhos de Jacó se ocupavam em disputar seu espaço dentro daquela casa, José tinha tempo livre para *sonhar*. O mundo era pequeno demais para a autopercepcão de José!

Certo dia, José teve dois sonhos — sonhos que nenhum personagem da história, nem mesmo José, sabe dizer direito de onde vieram. Nós, leitores, saberemos lá no final de Gênesis que esses sonhos foram dados pelo próprio Deus, mas, a essa altura, ninguém dentro do universo do enredo tem condições de saber disso. De todo modo, o que importa, na perspectiva de José, é que se trata de sonhos bons demais para serem mantidos em segredo, pois eles descrevem bem quem ele acredita ser. O rapaz decide contá-los a seus familiares, na presença de todos os irmãos. E, quando José enfim relata os sonhos, a reação geral é de revolta. "Você imagina que será nosso rei? Pensa mesmo que nos governará?", dizem seus irmãos (Gn 37.8). "Que sonho é esse? Por acaso eu, sua mãe e seus irmãos viremos e nos curvaremos até o chão diante de você?", repreende-o Jacó (Gn 37.10).

É pouco provável que tal reação tenha pegado José de surpresa — ele não era bobo —, mas o curioso é que ele decidiu contar os sonhos mesmo assim. José simplesmente não podia resistir: ele tinha de lembrar a seus irmãos quão bom, querido e abençoado ele era. Quase certamente, a reação indignada dos irmãos era precisamente o que José queria ver.

O problema é que aquela família não dispunha de inteligência emocional para lidar com a arrogância daquele moleque. Qualquer pessoa que tivesse crescido num lar tão disfuncional como o de Jacó tinha o sério potencial de se tornar um psicopata. Assim, na sequência da história, ocorre uma das contradições mais radicais ao plano maravilhoso de Deus para aquela família: alguns dias depois, Jacó manda José "fiscalizar" o trabalho de seus irmãos, e estes, ainda profundamente ressentidos da audácia de José, armam um plano para se livrar dele de uma vez por todas.

Quando os irmãos de José o viram, o reconheceram de longe. Antes que ele se aproximasse, planejaram uma forma de matá-lo. "Lá vem o sonhador!", disseram uns aos outros. "Vamos

> matá-lo e jogá-lo numa dessas cisternas. Diremos a nosso pai: 'Um animal selvagem o devorou'. Então veremos o que será de seus sonhos!"
>
> Mas, quando Rúben ouviu o plano, tratou de livrar José. "Não o matemos", disse ele. "Por que derramar sangue? Joguem-no nesta cisterna vazia aqui no deserto e não toquemos nele." Rúben planejava resgatar José e levá-lo de volta ao pai.
>
> Assim, quando José chegou, os irmãos arrancaram a linda túnica que ele estava usando, o agarraram e o jogaram na cisterna vazia, ou seja, sem água. Mais tarde, quando se sentaram para comer, viram de longe uma caravana de camelos vindo em sua direção. Era um grupo de negociantes ismaelitas, que transportavam especiarias, bálsamo e mirra de Gileade para o Egito.
>
> Judá disse a seus irmãos: "O que ganharemos se matarmos nosso irmão e encobrirmos o crime? Em vez de matá-lo, vamos vendê-lo aos negociantes ismaelitas. Afinal, ele é nosso irmão, sangue do nosso sangue!". Seus irmãos concordaram. Então, quando os ismaelitas, que eram negociantes midianitas, se aproximaram, os irmãos de José o tiraram da cisterna e o venderam para eles por vinte peças de prata. E os negociantes o levaram para o Egito.
>
> Algum tempo depois, Rúben voltou para tirar José da cisterna. Quando descobriu que seu irmão não estava lá, rasgou as roupas. Voltou a seus irmãos e lamentou-se: "O menino sumiu! E agora, o que farei?".
>
> Então os irmãos mataram um bode e mergulharam a túnica de José no sangue do animal. Enviaram a linda túnica para o pai, com a seguinte mensagem: "Veja o que encontramos. Não é a túnica de seu filho?".
>
> Gênesis 37.18-32

Ou seja, os irmãos de José primeiro planejam matá-lo, mas, diante da possibilidade de ganhar alguns trocados de prata, decidem vendê-lo como escravo para uma caravana de ismaelitas, um povo historicamente hostil à família de Abraão. E, para selar a vingança, mergulham aquela túnica especial — que Jacó havia mandado tecer e que José sempre fazia questão de vestir na hora de visitar seus irmãos no trabalho — no sangue de um bode e enviam a Jacó.

Já no início da história de José, portanto, tomamos um choque: tudo indica que não há como o plano maravilhoso que Deus iniciou em Abraão seguir adiante. Na perspectiva de Jacó — e na consciência de seus filhos — José está morto, e o sonho de José, morto com ele. A condição moral daquela família tinha tudo para contradizer o *shalom* desejado pelo Criador. Essa família, que havia sido chamada para ser instrumento da revelação do caráter de Deus a todas as famílias da terra, chega ao final de Gênesis 37 em condições semelhantes à de uma família da máfia siciliana. Será que, devido à baixa qualidade da matéria-prima, os propósitos de Deus iniciados em Abraão terão de ficar por isso mesmo?

A resposta, obviamente, é não. O plano maravilhoso de Deus não ficará por isso mesmo, porque o plano maravilhoso que Deus tinha para José era um plano de *Deus*, não de *José* — os sonhos de José eram de Deus, *apesar* de José e seus irmãos. Assim, o que vemos no restante de Gênesis é que Deus de fato concretizará aqueles sonhos, mas não sem antes ressignificá-los.

A partir de Gênesis 39, o cenário em que a trajetória de José continuará a se desenrolar muda drasticamente. Até pouquíssimo tempo, José era o queridinho dos pais, o príncipe da casa de Jacó. Vestia uma túnica caríssima que o pai tinha dado somente a ele. Desfrutava de favores e da atenção quase que exclusiva de Jacó, e tinha como costume "fiscalizar" o trabalho dos irmãos. Era tão mimado e autoabsorvido que, embora fosse apenas o décimo primeiro filho daquela família, achava que um dia governaria sobre todos daquela casa. Agora, contudo, José se encontra fora do cuidado de seus pais, cercado de pessoas estranhas e hostis, não mais usando a túnica que simbolizava o amor e a proteção de Jacó. De alguém que sonhava reinar sobre sua família, tornou-se escravo de um pagão chamado Potifar — e, de filho preferido da família escolhida pelo Deus do universo, tornou-se propriedade de um dos guardas do imperador do Egito.

> Quando José foi levado para o Egito pelos negociantes ismaelitas, eles o venderam a Potifar, um oficial egípcio. Potifar era capitão da guarda do faraó, o rei do Egito.
>
> O SENHOR estava com José, por isso ele era bem-sucedido em tudo que fazia no serviço da casa de seu senhor egípcio. Potifar percebeu que o SENHOR estava com José e lhe dava sucesso em tudo que ele fazia. Satisfeito com isso, nomeou José seu assistente pessoal e o encarregou de toda a sua casa e de todos os seus bens. A partir do dia em que José foi encarregado de toda a casa e de todas as propriedades de Potifar, o SENHOR começou a abençoar a casa do egípcio por causa de José. Tudo corria bem na casa, e as plantações e os animais prosperavam. Assim, Potifar entregou tudo que possuía aos cuidados de José e, tendo-o como administrador, não se preocupava com nada, exceto com o que iria comer.
>
> Gênesis 39.1-6

Aqui, somos convidados a nos colocar nos sapatos de José e a nos perguntar como nós mesmos processaríamos aquela experiência. O que será que José sentia no caminho do fundo do poço até o depósito de escravos no Egito, do depósito de escravos no Egito até o estande de vendas, e do estande de vendas até a casa de Potifar? O que será que passou por sua cabeça naquele percurso? Raiva, decepção, solidão, medo, humilhação, injustiça, confusão, desespero? Arrependimento, talvez? Por mais insuportável que José pudesse ter sido como pessoa, o que ele havia sofrido de seus irmãos era simplesmente injustificável. E, embora o texto não descreva a intensidade da experiência psicológica de José — as narrativas hebraicas costumam ser econômicas nesses detalhes, justamente para que o leitor exercite sua empatia e imagine essas questões por si mesmo —, é óbvio que a situação era traumática. Não havia como José estar mais distante daquilo que ele havia entendido em seus dois sonhos: agora ele se vê forçado a trabalhar para um senhor idólatra, sem a menor possibilidade de escolher seu próprio destino, separado de sua família, em um lugar onde qualquer coisa era adorada como "deus", menos o Deus que havia criado céus e terra e chamado seu bisavô, Abraão. Aqueles sonhos haviam ficado lá no fundo do poço — mortos. Tanto é que, por muitos anos a seguir, José não voltará a mencioná-los a mais ninguém. É desolador ter um sonho aniquilado.

Todavia, se você é um escravo, não tem muito tempo para ficar lambendo as feridas — se você é um escravo, tem muito trabalho compulsório a realizar. No caso de José, a sequência da história sugere que, ainda que ele fosse um garoto mimado na casa de Jacó, com certeza não era preguiçoso ou incompetente. Quem sabe pela proximidade com seu pai, José acabou adquirindo habilidades que vieram a destacá-lo dos demais escravos, o que o levou à gestão da casa de Potifar. E é possível que a única forma que José encontrou de canalizar todo aquele trauma tenha sido os muitos afazeres que recebeu na casa de seu proprietário. Em seu momento de mais profunda dor, José não deixou de ser útil, e foi provavelmente o trabalho que o manteve olhando adiante.

Só que a continuação da história não se fundamenta somente na competência de José — ou, para usar alguns chavões de nosso tempo, o "destino" de José não é "liberado" pela "maximização" de seu "potencial". Se fosse como um de nós, pessoas constantemente bombardeadas com a ideia de que a resposta para os dilemas da vida está em nosso interior, José teria iniciado uma intensa busca por autodescoberta. Mas não é essa a saída que a Bíblia nos apresenta. Quando nos vemos especulando quão terrível poderia estar sendo a condição emocional de José, o narrador de Gênesis nos dá a chave para entendermos por que ainda podemos falar de José a essa altura, e por que o plano maravilhoso de Deus não ficou lá no fundo do poço junto com o entendimento que José teve daqueles sonhos. Em Gênesis 39.2, uma afirmação categórica interrompe nossa imaginação: "O SENHOR estava com José". Deus estava com José — Javé, o Criador do universo, o Deus de Abraão, o Deus que é totalmente comprometido com seu desejo de salvar o mundo, não havia abandonado José. Deus havia se aproximado de José e encontrado José no fundo daquele poço e acompanhado José na casa de Potifar. Essa é a razão por que a história de José — e o plano maravilho de Deus para o cosmo — não termina no fundo daquele poço: "O SENHOR estava com José".

E o fato de que Deus estava com José não era questão meramente subjetiva. É muito instrutivo que a afirmação de que "O SENHOR estava com José" não venha dos lábios do próprio José. Em nenhum momento José reconhece de forma explícita que Deus estava com ele. Por quê? Provavelmente porque o que dominava a percepção de José sobre a vida naquele momento eram as dores causadas pela violência de seus irmãos, não o favor de Deus. Mas, embora José não percebesse, o Senhor estava visivelmente com ele, de modo que aquilo que ele fazia por meio de suas aptidões contribuía para o bem comum à sua volta. Nem mesmo Potifar conseguia negar essa realidade: "Potifar percebeu que o SENHOR estava com José e lhe dava sucesso em tudo que ele fazia" (Gn 39.3). Em outras palavras, porque Deus estava com José, era nítido que as mãos de José produziam *shalom* — e tanto *shalom* que todos ao redor reconheceram que era a mão de Deus que estava sobre José. É isso que o narrador quer dizer com "sucesso": o termo hebraico *maṣliaḥ* tem o sentido de "prosperidade", mas essa prosperidade não era do escravo José, e sim das propriedades de Potifar. Porque o Senhor estava com José e fazia prosperar tudo o que José fazia, quem enriqueceu foi Potifar, não José. E era isso que dava testemunho do favor de Deus sobre o filho de Jacó.

De quebra, José também começa a desempenhar funções que teriam tudo a ver com o plano maravilhoso que Deus tinha para sua vida: ao tornar-se o caseiro de Potifar, José tem a oportunidade de aprender em primeira mão como funciona a sociedade, a burocracia, a legislação egípcia — ou seja, José adquire experiência em administrar uma economia dentro da maior potência do mundo. Isso é muito mais do que meramente "ver o lado positivo das coisas", porque nós sabemos que, lá na frente, o lugar aonde Deus levará José exigirá precisamente esse tipo de habilidade. A lição importante, porém, é que José começa a governar a casa de Potifar não por ser o filho favorito de alguém, nem por achar que ali é seu lugar de direito, mas porque Deus estava com ele — era o Senhor quem havia colocado José naquela posição, não foi José quem escalou até aquela posição do seu jeito. A história de José traz ares de esperança porque contribuía para a realização de um propósito muito mais abrangente do que suas próprias aspirações individuais.

Todavia, o fato de o Senhor estar com José não o blinda de todas as consequências de Gênesis 3. Lá pelas tantas, a esposa de Potifar percebe a beleza de José e passa a tentar uma aproximação romântica. "Venha e deite-se comigo", ela ordena (Gn 39.7). Na superfície, esse incidente pode até parecer um velho clichê, mas é preciso notar a ironia aqui implícita: a atitude da mulher de Potifar indica claramente que aquela família também era disfuncional. O fato de ela ter tanto tempo livre e tantas oportunidades para assediar José mostra que Potifar era um marido ausente — ela vivia carente de afeto provavelmente porque Potifar só se preocupava com o trabalho —, e sua atitude obstinada, típica de quem desconhece o que é ouvir "não", sugere uma formação bastante parecida com a que José havia recebido na casa de seus pais. Talvez o próprio Potifar a "mimasse" para compensar sua ausência? Nesse episódio em que José é abordado pela "primeira-dama" daquela casa, então, ele depara com um tipo de gente que ele mesmo possivelmente seria, se aqueles sonhos tivessem acontecido do jeito que ele esperava: uma pessoa cheia de influência, mas autoabsorvida, narcisista. E eis a ironia das ironias: o mesmo José que tinha o hábito de praticar maledicência contra seus irmãos acabou sendo ele mesmo alvo de falsa acusação, com o resultado de que, nos dois casos, ele teve seu manto arrancado de si, em humilhação. A grande diferença é que, desta vez, o que ocupava o centro da injustiça não era a arrogância do próprio José em relação a seus familiares, mas, sim, seu temor a Deus diante de uma nação pagã.

> Quando ela viu que José tinha fugido, mas que o manto havia ficado na mão dela, chamou seus servos. "Vejam!", disse ela. "Meu marido trouxe esse escravo hebreu para nos fazer de bobos! Ele entrou no meu quarto para me violentar, mas eu gritei. Quando ele me ouviu gritar, saiu correndo e escapou, mas largou seu manto comigo."
>
> Ela guardou o manto até o marido voltar para casa. Então, contou-lhe sua versão da história. "O escravo hebreu que você trouxe para nossa casa tentou aproveitar-se de mim", disse ela. "Mas, quando eu gritei, ele saiu correndo e largou seu manto comigo!"
>
> Gênesis 39.13-18

Esse é um ponto de virada crucial na história. Uma vez que a vida de José passou a ser definida pela realidade do favor do Senhor, ele começa a entender que o plano maravilhoso de Deus jamais pode estar divorciado de um caminho de obediência e de conformidade com o caráter de Deus. Não há *shalom* sem uma vida com o Criador do *shalom*. Se José ainda estivesse apegado à compreensão que havia tido daqueles sonhos, ele teria facilmente aceitado o convite da mulher de Potifar, buscando um atalho para subir na vida mais rápido e, assim, vingar-se mais rápido de seus irmãos. Agora, porém, o filho de Jacó começa a dar sinais de estar entendendo que o plano maravilhoso de Deus dizia respeito a *Deus*, não a José — e, por isso, o chamado primordial de José não era subir na vida, mas, antes, honrar a Deus: "Como poderia eu cometer tamanha maldade? Estaria pecando contra Deus!" (Gn 39.9). Notemos que é contra Deus que José entende que estaria pecando, não meramente contra Potifar.

Mais uma vez, portanto, José é objeto de injustiça e acaba preso. Desta vez, porém, ele não está preso por causa do amor que tinha pelos próprios sonhos, mas por fidelidade a Deus. Isso nos lembra que há sofrimentos que decorrem de nossa própria tolice, e há sofrimentos que decorrem de nosso apego aos caminhos de Deus. Mas Deus continua a realizar seus propósitos em meio a todas essas circunstâncias. O Senhor que esteve com José na casa de Potifar permaneceu com José na prisão: Deus encontra José naquela bagunça novamente. E, porque Deus não desiste dos propósitos que tem para seu povo, a mesma coisa que acontece na casa de Potifar acontece na prisão: "Mas o SENHOR estava com ele na prisão e o tratou com bondade" (Gn 39.21).

Quando chegamos a Gênesis 40, fica bem claro que, embora a vida tenha insistido em colocar José em um caminho contrário aos sonhos que ele havia tido na casa de Jacó — de menino mimado que se achava o centro do mundo para alguém vendido como escravo e, agora, um prisioneiro —, o que fazia a diferença em sua vida não era o lugar ou a situação em que ele se encontrava, mas o Deus que o acompanhava em todo e qualquer lugar, em toda e qualquer situação. E o fato de que o Senhor estava com José necessariamente desemboca na transformação do caráter de José. Em um momento crucial de sua vida, José entende que Deus não estava com ele somente para fazer seu trabalho prosperar, mas principalmente para mostrar aos egípcios um jeito diferente de ser gente. Consequentemente, a pergunta que tem nos seguido desde Gênesis 37 — como é que Deus cumprirá seu plano maravilhoso por meio dessa gente tão picareta? — encontra seu foco central agora na resposta que José dá ao favor de Deus: o plano maravilhoso de Deus tem tudo a ver com o tipo de pessoa que José estava se tornando mesmo em meio a tantas adversidades.

É isso que notamos a partir de Gênesis 40. O favor de Deus faz com que José seja encarregado de gerenciar os afazeres da prisão — as aptidões de José não mudaram apesar de estar agora na prisão — e, então, dois servos do faraó são encarcerados, e cada um deles tem um sonho, que é interpretado por José. No entanto, o foco desse episódio não é a capacidade especial que José tinha de desvendar mistérios ocultos, como se os propósitos de Deus dependessem de um suposto "dom" místico com o qual José havia supostamente nascido. A mensagem transmitida é bem diferente.

É verdade que muitos sonhos podem ser fruto da macarronada vencida que comemos antes de dormir, mas, no caso específico dos contemporâneos de José, os sonhos eram com frequência vistos como meios de comunicação da parte do "além". No Egito antigo, os sonhos ocupavam lugar tão relevante no imaginário popular, que uma das "ocupações" mais respeitadas era a de decifrador — guardadas as devidas proporções, decifrar sonhos poderia ser tão importante quanto ser médico hoje.[1] Isso explica por que aqueles dois prisioneiros se veem profundamente atordoados, sem saber se os sonhos que eles acabaram de ter comunicavam algo bom ou ruim.

> Algum tempo depois, o chefe dos copeiros e o chefe dos padeiros do faraó ofenderam seu senhor, o rei do Egito. O faraó se enfureceu com os dois oficiais e os mandou para a prisão onde

[1] Ver Gordon J. Wenham, *Genesis 16–50*, WBC, vol. 2 (Grand Rapids, MI: Zondervan, 2000), p. 382.

José estava, no palácio do capitão da guarda. Eles ficaram presos por um bom tempo, e o capitão da guarda os colocou sob a responsabilidade de José, para que cuidasse deles.

Certa noite, enquanto estavam presos, o copeiro e o padeiro tiveram, cada um, um sonho, e cada sonho tinha o seu significado. Quando José os viu no dia seguinte, notou que os dois estavam perturbados e perguntou: "Por que vocês estão preocupados?".

Eles responderam: "Esta noite, nós dois tivemos sonhos, mas ninguém sabe nos dizer o que significam".

Gênesis 40.1-8

O detalhe é que, na perspectiva de alguém como José, que havia experimentado o favor do Deus vivo, o verdadeiro entendimento necessário para discernir o significado das coisas só podia vir do Senhor que é soberano sobre o universo, não da manipulação de técnicas ocultas de interpretação. E, se os egípcios precisavam depender de recursos duvidosos para compreender a realidade, o povo de Deus sabia que nada substituía a capacidade de enxergar a realidade pelo ângulo de Deus, de ler as circunstâncias a partir desse ângulo e de discernir como agir de maneira apropriada nessas circunstâncias. Desse modo, quando José se propõe interpretar os sonhos daqueles dois servos de faraó, ele não se oferece como um adivinho místico qualquer. Pelo contrário, ele age como testemunha da sabedoria infinitamente superior do Deus de toda a criação: "a interpretação dos sonhos vem de Deus" (Gn 40.8).

A força desse episódio, portanto, é nos mostrar que a história de José pôde seguir adiante, mesmo na prisão, porque a essa altura José aprendeu a caminhar debaixo da sabedoria de Deus. "O temor do SENHOR é o princípio da sabedoria", dirá o enredo bíblico mais adiante (Pv 9.10). Em outras palavras, a sabedoria é característica de quem teme o Senhor. Ao interpretar os sonhos daqueles ex-servos de faraó recorrendo à sabedoria de Deus, José demonstrava ser alguém que aprendeu a viver no temor do Senhor. Trata-se de um contraste significativo entre o José que vivia na casa de seu pai alguns capítulos antes e o José de agora que, em meio a tanto sofrimento, tanta injustiça, tanto abandono, tanta solidão, experimenta a graça de Deus e aprende a definir toda a sua identidade a partir da realidade de que o Senhor estava com ele.

É de especial atenção, aliás, que esse incidente dos sonhos dos prisioneiros seja o primeiro momento na história de José em que o vemos tomar a iniciativa de oferecer ajuda a alguém. Aqueles muitos anos longe do conforto e da segurança da casa de seu pai levaram José a se apegar a Deus e a entender que ele não era o centro do universo. José entende que não era o mundo que girava em torno dele, mas, sim, que a vida dele estava a serviço do *shalom* de Deus. E, pela primeira vez na narrativa, José não está olhando somente para o próprio umbigo. A ironia, é claro, é que a razão primeira de José estar lá naquela prisão eram os sonhos que ele havia tido na casa de seu pai — na casa de seu pai, José achava que aqueles sonhos representavam suas aspirações pessoais. Contudo, tendo passado anos longe de casa, aprendendo a se apegar a Deus em meio aos paradoxos da vida, José começa a compreender que *Deus* é o centro de seus propósitos — e é isso que lhe dá os recursos necessários para interpretar a realidade à sua volta e para viver segundo a sabedoria de Deus.

Aquele mesmo José que havia sido vendido como escravo por causa daqueles dois sonhos se vê agora dando testemunho da soberania absoluta do Deus dos hebreus, interpretando dois sonhos de dois egípcios. Aquele mesmo José que achava que tinha o direito de ter tudo na vida finalmente entende que ter o favor de Deus significava receber o chamado e a vocação de abençoar aqueles que estavam em seu entorno, dando testemunho do caráter de Deus. No percurso do fundo daquele poço até aquela prisão no Egito, José tinha perdido tudo, mas ganhado o bem mais precioso que alguém poderia ter, e que dinheiro nenhum do mundo poderia comprar: intimidade com Deus e capacidade de enxergar todas as coisas pela ótica de Deus.

As narrativas bíblicas nos convidam a perceber como Deus interage com seu povo e a discernir o que Deus pode estar fazendo conosco hoje. Quando fazemos esse exercício a partir dessa primeira parte da história de José, observamos que, mais do que nos conduzir a algum lugar específico, os propósitos de Deus têm a ver com o tipo de gente que estamos nos tornando ao longo do percurso, a despeito das circunstâncias. O destino, na verdade, é secundário quando nos lembramos de que o lugar para onde Deus está nos conduzindo começa com o chamado que temos de responder a Deus no presente. Sim, é verdade, Deus estava soberanamente conduzindo José a um lugar específico, mas esse destino jamais estava separado do que José estava sendo chamado a ser na casa de Potifar e naquela prisão — a responsabilidade de José não era chegar ao destino do seu jeito, mas, sim, honrar a Deus no presente. É relevante perceber, aliás, que José até tentou aproveitar o sucesso de sua interpretação para mudar de circunstância: ele pede que o copeiro do faraó retribua o favor (e não havia nada de errado nisso). Mas a vida, com todas as suas complexidades, fez questão de deixar José na prisão por mais dois anos.

Assim como aconteceu com José, nossa jornada às vezes segue caminhos que parecem bem distantes daquilo que sonhávamos em nossas aspirações pessoais. No entanto, José constitui um excelente exemplo do que significa ser povo de Deus — chamado ao *shalom* e à esperança — ao nos lembrar de que o plano maravilhoso que Deus tem para nossa vida inclui fazer de nós pessoas que vivem no temor do Senhor, sendo testemunhas da soberania de Deus e instrumentos de sua sabedoria em toda e qualquer situação. Toda aquela bagunça havia causado muitas reviravoltas na vida de José, mas nada daquilo havia sido desperdiçado nas mãos de Deus para fazer de José alguém que pudesse mostrar aos outros a que tipo de Deus ele pertencia.

E é exatamente assim conosco: Deus não quer desperdiçar nada para nos tornar íntimos dele — pessoas que vivem conforme sua sabedoria e que sejam veículos de sabedoria para aqueles que nos cercam.

6

A participação de José e seus familiares no enredo da salvação

O que mudaria se você subisse na vida hoje? Se você recebesse uma promoção na empresa onde trabalha ou um investimento bilionário em seu negócio, ou quem sabe se ganhasse na Mega-Sena, o mundo se tornaria um lugar melhor para viver? Ou melhor, o mundo *de quem* se tornaria um lugar melhor para viver: somente o seu ou o de alguém mais? Deixe-me colocar isso de forma mais aguda: se você subisse na vida hoje, você acha que isso seria parte da história que Deus está escrevendo em nossa geração, ou, no fundo, isso representaria o risco sério de você mesmo perder sua vida?

Deus tinha um plano maravilhoso para a vida de José. Mais do que contemplar a realização de suas aspirações pessoais, porém, esse plano envolvia sobretudo a transformação de seu caráter. Na verdade, é mais correto dizer que o maior empecilho para o cumprimento dos propósitos de Deus na vida de José eram as próprias aspirações pessoais de José, que refletiam seu caráter quebrado, autoabsorvido, descolado da realidade. Mas a intenção de Deus de fazer com que José fosse um tipo de gente que expressaria o jeito de ser do próprio Deus era tão irredutível que Deus não desperdiçou nenhuma situação da vida de José — nem mesmo as piores injustiças causadas por seus irmãos e pela esposa de Potifar — a fim de realizar esse propósito. Embora as circunstâncias pudessem ter feito de José uma pessoa amarga, ressentida e vingativa, o favor de Deus o visitou de tal forma que ele aprendeu a construir toda a sua identidade sobre a realidade de que o Senhor estava com ele. Se, de um lado, sua trajetória acabou seguindo uma direção contrária à que ele havia imaginado lhe pertencer por direito, de outro lado essa mesma trajetória se tornou um caminho de amadurecimento, de libertação de si mesmo, de intimidade com Deus, porque Deus ajudou José a entender que Deus estava lá não para fazer o que José desejava, mas, sim, para fazer de José um instrumento de *shalom* — isto é, de realização da vontade de Deus de abençoar o mundo que ele havia criado.

O que torna a história de José tão cativante é o fato de que ela desemboca em um momento que todos nós, no fundo, desejamos que aconteça um dia também conosco: em Gênesis 41, José finalmente "sobe na vida". Depois de todos aqueles anos de sofrimento e abandono, algo inusitado acontece, e ele se torna "alguém de respeito". Ironicamente, não são poucos os cristãos que enxergam nesse momento culminante da história de José, em que a sorte dele é mudada, a motivação para que nós também aspiremos ser exaltados no mundo diante daqueles que porventura nos fizeram o mal. Trata-se de uma conclusão típica de quem quer "tomar posse" da realidade de Gênesis 41 sem passar pela realidade de Gênesis 37—40. Mas essa conclusão contradiz tudo o que temos visto sobre a história de José até aqui: o plano maravilhoso que Deus tinha para José não dizia respeito a José, mas a Deus, e portanto esse momento climático em que José é promovido a um cargo importante na sociedade egípcia também diz respeito ao trabalho redentivo de Deus.

Estamos tão acostumados a ouvir a história de José que nem nos damos conta do abismo contextual que separa o capítulo 41 do capítulo 40. Em Gênesis 40, José está trancado em uma prisão, sem muito o que fazer além de cumprir suas funções no trabalho e de testemunhar da sabedoria de Deus a dois de seus companheiros de cela. Tão logo viramos a página, porém, já se passaram dois anos desde que José interpretou os sonhos de seus companheiros de cela, e o cenário agora não é mais o buraco repugnante onde José está preso, mas a corte imperial do Egito, o aposento do homem mais poderoso do planeta à época. O Deus que havia acompanhado José do fundo do poço até aquela prisão egípcia é o Deus que também governa todo o cosmo, a quem nenhum acesso — nem mesmo aos aposentos do faraó — está fechado.

> Dois anos inteiros se passaram, e o faraó sonhou que estava em pé na margem do rio Nilo. Em seu sonho, viu sete vacas gordas e saudáveis saírem do rio e começarem a pastar no meio dos juncos. Em seguida, viu outras sete vacas saírem do Nilo. Eram feias e magras e pararam junto das vacas gordas à beira do rio. Então as vacas feias e magras comeram as sete vacas gordas e saudáveis. Nessa parte do sonho, o faraó acordou.
>
> Depois, voltou a dormir e teve outro sonho. Dessa vez, viu sete espigas de trigo, cheias e boas, que cresciam em um só talo. Em seguida, apareceram mais sete espigas, mas elas eram murchas e ressequidas pelo vento do leste. Então as espigas miúdas engoliram as sete espigas cheias e bem formadas. O faraó acordou novamente e percebeu que era um sonho.
>
> Na manhã seguinte, perturbado com os sonhos, o faraó chamou todos os magos e os sábios do Egito. Contou-lhes os sonhos, mas ninguém conseguiu interpretá-los.
>
> Por fim, o chefe dos copeiros se pronunciou. "Hoje eu me lembrei do meu erro", disse ao faraó. "Algum tempo atrás, o senhor se irou com o chefe dos padeiros e comigo e mandou prender-nos no palácio do capitão da guarda. Certa noite, o

> chefe dos padeiros e eu tivemos, cada um, um sonho, e cada sonho tinha o seu significado. Estava conosco na prisão um rapaz hebreu que era escravo do capitão da guarda. Contamos a ele nossos sonhos, e ele explicou o que cada um significava. E tudo aconteceu exatamente como ele havia previsto. Fui restaurado ao meu cargo de chefe dos copeiros, e o chefe dos padeiros foi enforcado em público."
>
> Na mesma hora, o faraó mandou chamar José, e ele foi trazido depressa da prisão. Depois de barbear-se e trocar de roupa, apresentou-se ao faraó. Disse o faraó a José: "Tive um sonho esta noite e ninguém aqui conseguiu me dizer o que ele significa. Soube, porém, que ao ouvir um sonho você é capaz de interpretá-lo".
>
> José respondeu: "Essa capacidade não está em minhas mãos, mas Deus pode revelar o significado ao faraó e acalmá-lo".
>
> Gênesis 41.1-16

Na superfície, parece uma repetição do que aconteceu na prisão: alguém sonha, e José interpreta. Mas quem sonha desta vez é ninguém menos que o próprio faraó. Isso é altamente relevante, porque o faraó era visto como a manifestação da divindade egípcia que mantinha a ordem do universo. Toda a cosmologia egípcia que justificava a hegemonia daquela nação era organizada em torno da figura do faraó. Em condições normais, José jamais teria se encontrado com figura tão imponente. Ainda que José tivesse muita influência na sociedade egípcia (o que ele não tinha), e ainda que tivesse muita autoridade entre os habitantes daquela terra (o que ele também não tinha), seria muito improvável que José entraria um dia na presença do faraó para lhe dirigir palavra. Afinal, o que um escravo, prisioneiro e estrangeiro (hebreu) teria para dizer a um ser supostamente divino, responsável pela prosperidade do maior império da terra?

O verdadeiro Deus do universo, contudo, havia decidido dar uma "cutucada" no faraó e chacoalhar de leve a suposta harmonia que ele achava representar. E esse mesmo faraó, que supostamente detinha a sabedoria e o poder dos deuses supremos do Egito, acabava de ter dois sonhos da parte do verdadeiro Deus do universo, cujo significado ninguém em todo o território egípcio sabia interpretar — nem o faraó, nem os decifradores mais habilidosos de plantão. E o fator agravante daquela situação era que, nos dois sonhos que o faraó havia tido, o cenário era o rio Nilo, a fonte de toda a fertilidade do império egípcio. Decifrar o sentido daqueles sonhos era questão de vida e morte para o faraó. É por isso que, à semelhança do que ocorreu com os dois ex-companheiros de cela de José, é o faraó agora quem está "perturbado" (Gn 41.8).

Nesse exato momento, em que a corte imperial está em polvorosa tentando desvendar o mistério que tem preocupado o homem mais poderoso do planeta, o copeiro do faraó se lembra de José. E o copeiro se lembra de José não necessariamente porque gostava de José — naqueles dois anos de esquecimento, o copeiro havia demonstrado que pouco se importava com seu ex-colega de prisão —, mas porque José conhecia o Deus que verdadeiramente detinha toda a sabedoria e todo o poder do mundo. O que deu a José acesso ao centro do dilema de faraó, portanto, foi seu temor ao Deus que o capacitava a ler a realidade como ninguém mais em todo aquele império. O contraste aqui é absurdo: um chefe de estado, cercado pelos maiores filósofos e analistas do império, sendo ensinado sobre o futuro por um "gerente" de um presídio!

De fato, quando José é convocado a comparecer diante do homem mais poderoso do mundo, ele interpreta os sonhos do faraó exatamente da mesma forma que havia interpretado os sonhos de seus ex-companheiros de cela, isto é, de maneira teocêntrica: "Essa capacidade não está em minhas mãos, mas Deus pode revelar o significado ao faraó" (Gn 41.16). Por mais lisonjeiro que fosse estar na corte imperial do Egito, José não aceita da boca do faraó a prerrogativa de conhecer os mistérios do universo — ele sabia que essa prerrogativa pertencia somente a Deus. E, enquanto o faraó e todo o império estão transtornados tentando descobrir o sentido daqueles acontecimentos, José está tranquilo, plenamente convicto de que Deus não somente revelaria o sentido dos sonhos do faraó, como também realizaria seus propósitos soberanos até mesmo no Egito. É altamente relevante que, no hebraico, a resposta de José em Gênesis 41.16 aponte precisamente para o *shalom* de Deus: "Deus responderá *shalom* ao faraó" [*ʾᵉlōhim yaʿᵃnê ʾeṯ-šᵉlôm parʿô*].

E José não somente oferece a interpretação dos sonhos de faraó, como também propõe uma resposta adequada à situação descrita nos sonhos, colocando-se como um agente do *shalom* de Deus naquela situação:

> Os próximos sete anos serão um período de grande prosperidade em toda a terra do Egito. Depois, haverá sete anos de fome tão grande que toda essa prosperidade será esquecida no Egito, pois a fome destruirá a terra. A escassez de alimento será tão terrível que apagará até a lembrança dos anos de fartura. Quanto ao fato de terem sido dois sonhos parecidos, significa que esses acontecimentos foram decretados por Deus, e ele os fará ocorrer em breve.
>
> Portanto, o faraó deve encontrar um homem inteligente e sábio e encarregá-lo de administrar o Egito. O faraó também deve nomear supervisores sobre a terra, para que recolham um quinto

> de todas as colheitas durante os sete anos de fartura. Encarregue-os de juntar todo o alimento produzido nos anos bons que virão e levá-lo para os armazéns do faraó. Mande-os estocar e guardar os cereais, para que haja mantimento nas cidades. Desse modo, quando os sete anos de fome vierem sobre a terra do Egito, haverá comida suficiente. Assim, a fome não destruirá a terra.
>
> Gênesis 41.29-36

Pela graça de Deus, José havia sido transformado, de um menino mimado, que se achava o centro do universo, em um homem maduro, que se importava com o bem comum. E, ao longo daquele percurso em que ele aprendeu a administrar a casa de Potifar e a prisão onde ele havia sido lançado, José havia adquirido ampla experiência em aplicar a sabedoria de Deus em situações concretas da vida.

Como resultado, depois de treze longos anos desde que José teve aqueles sonhos que culminaram em sua escravidão do Egito, José finalmente sobe na vida: ele se torna o segundo homem mais poderoso do planeta, a pessoa com quem ficava nada menos que a chave do cofre do banco central do Egito.

> O faraó e seus oficiais gostaram das sugestões de José. Por isso, o faraó perguntou aos oficiais: "Será que encontraremos alguém como este homem? Sem dúvida, há nele o espírito de Deus!". Então o faraó disse a José: "Uma vez que Deus lhe revelou o significado dos sonhos, é evidente que não há ninguém tão inteligente ou sábio quanto você. Ficará encarregado de minha corte, e todo o meu povo obedecerá às suas ordens. Apenas eu, que ocupo o trono, terei uma posição superior à sua".
>
> O faraó acrescentou: "Eu o coloco oficialmente no comando de toda a terra do Egito". Então o faraó tirou do dedo o seu anel com o selo real e o pôs no dedo de José. Mandou vesti-lo com

> roupas de linho fino e pôs uma corrente de ouro em seu pescoço. Também o fez andar na carruagem reservada para quem era o segundo no poder, e, por onde José passava, gritava-se a ordem: "Ajoelhem-se!". Assim, o faraó colocou José no comando de todo o Egito e lhe disse: "Eu sou o faraó, mas ninguém levantará a mão ou o pé em toda a terra do Egito sem a sua permissão".
>
> Gênesis 41.37-44

E o que é vital destacar é que José não sobe na vida porque ali era seu lugar de direito — como ele achava que era lá na casa de seu pai —, mas porque o Deus do universo, que havia ensinado José a andar no temor do Senhor, estava colocando-o agora naquela posição para cumprir o plano maravilhoso que ele tinha não somente para José, mas para o *mundo*. Em outras palavras, José não sobe na vida por causa dele próprio, mas porque o mesmo Senhor que esteve com José naquela trajetória de sofrimento desejava manifestar seu *shalom* agora a todo o império do Egito por meio de José. Não se trata meramente de dizer que José agora se deu bem — o ponto é dizer que *toda* terra do Egito pôde experimentar o favor de Deus, porque sobre aquela nação havia agora alguém que aprendeu a andar com Deus de verdade.

Mais do que mudar a sorte de José, portanto, o texto diz como Deus transformou a vida de José de modo que sua exaltação veio a representar o sustento de toda uma nação. Antes de mudar as *circunstâncias* de José, Deus mudou o *caráter* de José e, por isso, quando Deus mudou as circunstâncias de José, Deus pôde mudar também a sorte de todo um povo, preservando muita gente da fome e da miséria.

Agora, se a Bíblia tivesse sido escrita por alguém que enxerga o sucesso somente em termos de "subir na vida", a história de José provavelmente terminaria aqui, no final do capítulo 41. Afinal de contas, não há como a conclusão de sua trajetória ser mais gloriosa do que a cena em que o faraó despeja sobre ele todos os símbolos de honra disponíveis no império: roupas de linho fino, colar de ouro, carruagem que seguia apenas a carruagem do faraó, e até mesmo o anel que ficava no dedo do próprio soberano do Egito. A vestimenta de José aqui faz a túnica que Jacó tinha mandado fazer parecer um trapo! Mas será que a promoção de José a segundo homem mais importante do império egípcio era mesmo o seu destino final?

O fato de Gênesis prosseguir até o capítulo 50 sugere que há mais coisas importantes a serem ditas sobre a vida de José. O plano maravilhoso de Deus para a vida de José não chegou a seu desfecho só porque as circunstâncias de José mudaram para melhor. E, na verdade, ainda em Gênesis 41, é possível perceber que, embora José tenha passado a desfrutar de uma vida mais segura e confortável, os traumas causados pela longa trajetória de rejeição e injustiça permaneciam presentes dentro dele.

É irônico que, ao dar o nome de Manassés a seu primogênito, José diga: "Deus me fez esquecer todas as minhas dificuldades e toda a família de meu pai", e, a respeito de Efraim, seu segundo filho, ele diga também: "Deus me fez prosperar na terra da minha aflição" (Gn 41.51-52). Se ele precisa dar esses nomes aos filhos é porque, no fundo, não havia se esquecido dos fantasmas que sempre carregou desde o crime dos irmãos. Como será que isso aflorará agora que José tem poder em suas mãos?

Quando a história alcança o capítulo seguinte, nove anos se passaram desde que José assumiu a posição de "secretário de estado" do Egito, e vinte e dois anos se passaram desde que foi vendido como escravo por seus próprios irmãos. Àquela altura, toda a terra do Egito e de seus arredores já havia atravessado dois anos de escassez de alimentos, conforme prediziam os sonhos do faraó que José havia interpretado. Acontece que os efeitos colaterais dessa fome começaram a afetar ninguém menos que a família de Jacó. E, assim como o cenário havia mudado drasticamente entre os capítulos 40 e 41, muda de novo entre os capítulos 41 e 42: agora estamos de volta à casa de Jacó.

> Quando Jacó soube que no Egito havia cereais, disse a seus filhos: "Por que vocês estão aí parados, olhando uns para os outros? Ouvi dizer que há cereais no Egito. Desçam até lá e comprem cereais em quantidade suficiente para nos mantermos vivos. Do contrário, morreremos".
>
> Então os dez irmãos mais velhos de José desceram ao Egito para comprar cereais. Mas Jacó não deixou Benjamim, o irmão mais novo de José, ir com eles, pois tinha medo de que algum mal lhe acontecesse. Os filhos de Jacó chegaram ao Egito junto com outros para comprar mantimentos, porque também havia fome em Canaã.
>
> Uma vez que José era governador do Egito e o encarregado de vender cereais a todos, foi a ele que seus irmãos se dirigiram. Quando chegaram, curvaram-se diante dele com o rosto no chão. José reconheceu os irmãos de imediato, mas fingiu não saber quem eram e lhes perguntou com aspereza: "De onde vocês vêm?".
>
> "Da terra de Canaã", responderam eles. "Viemos comprar mantimentos."

> Embora José tivesse reconhecido seus irmãos, eles não o reconheceram. José se lembrou dos sonhos que tivera a respeito deles muitos anos antes e lhes disse: "Vocês são espiões! Vieram para descobrir os pontos fracos de nossa terra".
>
> Gênesis 42.1-9

Nesse ponto da narrativa, então, Jacó ordena que seus filhos recorram ao Egito para comprar cereais e, no que segue até Gênesis 45, vemos basicamente três viagens que os filhos de Jacó precisam fazer ao Egito. Em um primeiro momento, eles vão à terra do faraó em busca de mantimentos para socorrer a família. Em seguida, voltam de lá com os tais mantimentos para a casa de Jacó. E, em um terceiro momento, eles se veem obrigados a retornar ao Egito para resolver questões inadiáveis que acabaram emergindo na primeira visita que haviam feito.

O detalhe é que essas jornadas geográficas conotam ainda outro tipo de jornada — uma jornada mais profunda — que os irmãos de José precisavam fazer. Tais deslocamentos geográficos acabam tendo de acontecer mais de uma vez precisamente porque a jornada mais importante dos dez primeiros filhos de Jacó não era apenas em busca de cereais no Egito, mas em direção a José. Desse modo, tudo o que acontece em Gênesis 42—45 está estruturado não somente em torno dessas viagens que os irmãos de José fazem em busca de comida, mas principalmente em torno dos três momentos de encontro que acontecem entre José e seus irmãos. E é nesses três momentos de encontro que se dará também a última jornada do próprio José rumo ao cumprimento do plano maravilhoso de Deus para a vida dele.

Nosso protagonista agora está plenamente estabelecido no Egito, não somente como cidadão legítimo do império, mas também como membro da elite daquela sociedade — a essa altura de sua vida, ele provavelmente nem usa mais seu nome hebreu, mas, sim, o nome que recebeu de faraó, Zafenate-Paneia (Gn 41.45). Assim como alguns poucos hoje, é possível que José pense que já não tem para onde ir em sua jornada de vida. E é muito provável que José não se ocupasse mais pensando no passado, diante de tantas outras coisas mais importantes com as quais se preocupar.

A vida, porém, com toda sua complexidade, faz com que os membros da família de José tenham de recorrer à ajuda do Egito para sobreviver. Então, seguindo a mesma ironia que havia colocado José diante do faraó nove anos atrás, a vida agora colocaria José diante das pessoas que o haviam vendido como escravo vinte e dois anos antes. Se José foi o único que poderia ter interpretado os sonhos do faraó (e foi isso que o colocou diante do faraó), ele agora é o único que tem a prerrogativa de autorizar a venda dos alimentos do império a estrangeiros (e é isso que o colocará diante de seus familiares).

E a verdade é que a viagem dos filhos de Jacó ao Egito representava riscos muito sérios: a viagem em si (roubos, doenças, acidentes), a possibilidade de ter seu pedido rejeitado no Egito (o que representaria uma perda de viagem e um prejuízo significativo para Jacó) e, na pior das hipóteses, ter seus bens confiscados (um drama ainda maior). Ou seja, o risco maior era que tudo dependia da boa vontade da pessoa encarregada de autorizar a venda de alimentos do império. E o fato de que, mesmo diante desses riscos, Jacó decide enviar seus filhos indica que todas as alternativas de subsistência foram esgotadas — Jacó não tem mais o que fazer para sanar tamanha escassez.

O envio dos filhos de Jacó ao Egito, portanto, representa um drama muito agudo dentro do enredo de Gênesis: as promessas que Deus havia feito a Abraão — de que, por meio de sua descendência, todas as famílias da terra seriam abençoadas — dependiam agora de a família de Jacó encontrar comida no Egito. O que Jacó jamais podia imaginar é que a pessoa responsável por autorizar aquele tipo de transação no Egito era ninguém menos que José. Para Jacó, seu filho favorito havia morrido vinte e dois anos atrás, e o trauma de sua perda permanecia ainda tão grande que ele não permite que Benjamim, o caçula de Raquel e irmão mais novo de José, participe da caravana. Tudo indica que Jacó ainda não havia superado o vazio deixado por José — e quem terá de encarar José são exatamente aqueles dez filhos de Jacó que haviam causado a jornada de sofrimento de José mais de duas décadas antes.

Quando os irmãos finalmente chegam ao Egito e se veem diante de José, somente José lhes reconhece o rosto, e aquilo que José tinha até desistido de imaginar que poderia acontecer, de fato, acontece: os mesmos irmãos que o haviam vendido como escravo vinte e dois anos atrás se ajoelham diante dele, sem saber que era ele. E, naquele momento, ao finalmente rever o rosto de cada um daqueles irmãos, curvados até o chão, pela primeira vez desde Gênesis 37 José se lembra dos sonhos que havia tido na casa de seu pai — o evento que havia ocasionado todo aquele sofrimento. Depois de todos aqueles anos colhendo os frutos da injustiça que havia sofrido de seus irmãos, José agora se vê frente a frente com seus agressores e se lembra dos sonhos. E, ao longo daqueles anos todos, o mundo havia dado muitas e muitas voltas: José agora é o segundo homem mais poderoso do mundo, e seus irmãos agressores estão ali, curvados, mendigando permissão para comprar comida.

Como será que nós teríamos reagido naquele momento? Em um estalo de dedos, José poderia acabar com a raça daqueles psicopatas... O que passou pela cabeça dele?

A questão, porém, é que o José que havia tido aqueles sonhos em Gênesis 37 é um José diferente do José de Gênesis 42: o José de agora é alguém que experimentou o favor de Deus repetidas vezes, que aprendeu a definir toda a sua identidade a partir da graça de Deus, e que entendeu que era sua vida que estava a serviço do plano maravilhoso de Deus, e não o contrário. O José de agora entende que os sonhos de Deus dizem respeito primeiramente a Deus, não a si mesmo. Nessa cena inicial de Gênesis 42, portanto, percebemos que ainda faltava um caminho para José percorrer: a realidade de que o Senhor estava com José levaria José a agir conforme o caráter de Deus perante seus irmãos. Ou seja, tendo se tornado alguém bem-sucedido no mundo graças ao favor de Deus, José se vê agora diante da possibilidade de percorrer uma trajetória de volta em direção à sua família — uma trajetória de reconciliação com sua família, sobre a qual repousava nada menos que a promessa de Deus de restaurar o mundo.

Mas a família sobre a qual repousava a promessa de Deus de restaurar o mundo é justamente aquela que havia causado todos os traumas na vida de José. E colocar-se em uma trajetória de reconciliação, quando se está nos sapatos de José, não é nada fácil. Interpretar sonhos e bolar estratégias de combate à miséria é como pegar pirulito de criança em comparação com a tarefa de acolher quem nos fez tanto mal deliberadamente. E, de fato, para alguém na posição de José, reconciliação é a coisa mais contraintuitiva que pode existir — afinal, não é mais José quem precisa dos irmãos. Assim, ao longo de Gênesis 41—45, simultaneamente ao vaivém que a família de José faz em direção ao Egito, há também o vaivém dentro do coração de José em direção a seus irmãos. É a luta interna de José, o caminho trilhado por alguém que conheceu o favor de Deus e que aprendeu que esse favor não é monopólio seu, mas que reconhece, também, que é fraco quando o assunto é imitar Deus.

Desse modo, nas vezes em que os irmãos se apresentam a ele, José se mostra ambíguo. Na primeira ocasião em que os irmãos se curvam diante dele, José reage quase que instintivamente e os coloca na prisão sob a acusação de espionagem: "Vocês são espiões! Vieram para descobrir os pontos fracos de nossa terra" (Gn 42.9). Embora as narrativas bíblicas deixem muita coisa em aberto, minha suspeita é que a reação de José se deu por uma mistura de raiva e desconfiança.

Em seguida, quando José fica sabendo que Jacó e Benjamim ainda estão vivos, ele manipula a situação, de modo que seus irmãos acabam experimentando um pouquinho do que ele mesmo havia sofrido no Egito: José deixa Simeão cativo como garantia e ordena que Benjamim seja trazido ao Egito. Quer dizer, ao mesmo tempo que José quer provas de que seu irmãozinho está realmente vivo, parece também que José está querendo comer bem frio o prato de sua vingança. Em contrapartida, quando os irmãos partem de volta à casa de Jacó, José ordena que os sacos de cereais sejam todos abastecidos até a boca e que todo o dinheiro lhes seja devolvido. José sabe o que deve fazer, ele quer fazer o que deve fazer, mas acha difícil fazer o que deve fazer.

> José, porém, continuou a insistir: "Como eu disse, vocês são espiões! Mas há uma forma de verificar sua história. Juro pela vida do faraó que vocês só deixarão o Egito quando seu irmão mais novo vier para cá. Um de vocês deve buscá-lo. Os outros ficarão presos aqui. Então veremos se sua história é verdadeira ou não. Pela vida do faraó, se não tiverem um irmão mais novo, saberei com certeza que são espiões".
>
> Então José os colocou na prisão por três dias. No terceiro dia, José lhes disse: "Sou um homem temente a Deus. Façam o que direi e viverão. Se são mesmo homens honestos, escolham um de seus irmãos para continuar preso. Os demais podem voltar para casa com cereais para seus parentes que estão passando fome. Tragam-me, porém, seu irmão mais novo. Com isso, provarão que estão dizendo a verdade e não morrerão".
>
> Gênesis 42.14-20

E esse vaivém se repete na segunda ocasião em que os irmãos se curvam a José, quando eles voltam para o Egito, depois de um tempo, agora acompanhados de Benjamim. Ao ver a distância o irmão caçula, José ordena que se prepare um banquete para seus irmãos, que são tratados como verdadeiros chefes de estado. Mas, quando chega a hora de despedir-se deles, ele arma um golpe: manda esconder seu próprio copo na bagagem de Benjamim com o intuito de acusá-los de roubo e mantê-los presos no Egito. E, de novo, parece que José está muito tentado a comer bem devagar seu prato de vingança — desta vez, é como se José quisesse que seus irmãos experimentassem a acusação injusta que ele havia sofrido da esposa de Potifar. É impossível não sentir a angústia de José aqui, o vaivém entre o desejo de vingança e a vontade de Deus. E José provavelmente sabia de todos os efeitos que aquele vaivém dos irmãos teria no coração de seu pai Jacó

— a narrativa nos conta que Jacó quase morre de desgosto com toda aquela confusão —, mas José não consegue superar aquele dilema de imediato.

Contudo, o mesmo Senhor que havia estado com José em todo o seu percurso de sofrimento estava com José também naqueles encontros com seus agressores. Na terceira ocasião em que os irmãos de José se curvam diante dele, no capítulo 44, Deus finalmente vence aquela luta interna de José. Como? O que ajuda José a finalmente agir em conformidade com o caráter de Deus naquele dilema é a percepção de que o mesmo Senhor que havia estado com ele ao longo daqueles vinte e dois anos estava agora quebrando o coração de todos os seus irmãos no meio daquela bagunça.

Em Gênesis 42, quando José manda Simeão ficar na cadeia até que Benjamim fosse trazido até ele, os irmãos se lembram imediatamente de José:

> [...] conversando entre si, disseram: "É evidente que estamos sendo castigados por aquilo que fizemos a José tanto tempo atrás. Vimos sua angústia quando ele implorou por sua vida, mas nós o ignoramos. Por isso estamos nesta situação difícil".
>
> Rúben disse: "Não lhes falei que não pecassem contra o rapaz? Mas vocês não quiseram me ouvir. Agora, temos de prestar contas pelo sangue dele!".
>
> Não sabiam, porém, que José os entendia, pois falava com eles por meio de um intérprete. José se afastou dos irmãos e começou a chorar. Quando se recompôs, voltou a falar com eles. Escolheu Simeão e mandou amarrá-lo diante dos demais.
>
> Gênesis 42.21-24

Depois de tanto tempo, ao contemplarem a possibilidade de perderem um irmão injustamente, eles se lembram de José.

E é nesse momento que reconhecem a gravidade do crime que haviam cometido mais de duas décadas atrás. É como se, depois de vinte e dois anos, Deus estivesse finalmente ressuscitando a consciência dos irmãos de José quanto à atrocidade que haviam cometido contra ele.

Mas o ponto de virada acontece de fato no último encontro, em Gênesis 44, quando José ameaça prender Benjamim, depois daquele golpe que o próprio José havia tramado. É quase certo que, uma vez que José havia "morrido" na cabeça de Jacó, Benjamim, o caçula de Raquel, acabou ocupando o lugar de "queridinho do papai". Tanto é que Jacó nem sequer tinha permitido Benjamim se expor aos riscos daquela viagem em primeiro lugar. É bem possível que, na ausência de José, o ressentimento dos filhos mais velhos de Jacó tenha sido transferido a Benjamim.

Diante da possibilidade de perder Benjamim, porém, quem entra em cena para interceder por ele agora é ninguém menos que Judá, justamente o irmão que tinha dado a ideia de vender José como escravo mais de duas décadas atrás. E Judá entra em cena não meramente para tentar convencer José a mudar de ideia, mas para admitir que, diante de Deus, eles eram realmente culpados: "Meu senhor, o que podemos dizer? Que explicação podemos dar? Como podemos provar nossa inocência? Deus está nos castigando por causa de nossa maldade. Todos nós voltamos para ser seus escravos, todos nós, e não apenas nosso irmão com quem foi encontrado o copo de prata" (Gn 44.16). Essa declaração de Judá é terrivelmente importante, porque a culpa que Judá admite aqui não é pelo roubo do copo — os irmãos de José não tinham roubado coisa alguma naquela ocasião. A culpa que Judá confessa é por aquilo que ele e seus irmãos haviam feito contra José vinte e dois anos atrás. Como resultado, uma vez que Judá tem sua consciência iluminada por Deus, ele entra em cena no final de Gênesis 44, principalmente, para se oferecer a ficar preso no lugar de Benjamim!

> E agora, meu senhor, não posso voltar para a casa de meu pai sem o rapaz. A vida de nosso pai está ligada à vida do rapaz. Quando ele vir que o rapaz não está conosco, morrerá. Nós, seus servos, seremos, de fato, responsáveis por mandar para a sepultura seu servo, nosso pai, em profunda tristeza. Meu senhor, garanti a meu pai que levaria o rapaz de volta. Disse-lhe: "Se não o trouxer de volta, carregarei a culpa para sempre".
>
> Por isso, peço ao senhor que me permita ficar aqui como escravo no lugar do rapaz e que o deixe voltar com os irmãos dele. Pois, como poderei voltar a meu pai sem o rapaz? Não suportaria ver a angústia que isso lhe causaria!
>
> Gênesis 44.30-34

Quem diria: o que ajuda José a agir conforme a vontade divina é a percepção de que não é somente ele que pôde ter seu caráter tocado por Deus ao longo daquela trajetória — José percebe que até mesmo Judá, seu principal agressor, podia ser alvo do poder transformador de Deus. José percebe que não há pessoa em todo o mundo que esteja tão longe a ponto de Deus não poder mais alcançar. É verdade que, nesse ponto da história, os irmãos de José ainda não se encontram completamente transformados: a motivação deles ainda é duvidosa (querem primeiramente se livrar da fome). Mas aquela atitude de Judá — o reconhecimento de seu erro seguido da disposição de se colocar no lugar de Benjamim — é suficiente para fazer José entender que o desejo de Deus era salvar, não condenar sua família. Dessa maneira, quando ouve as palavras de Judá, em vez de se vingar do irmão, José desaba em quebrantamento e o acolhe:

> José não conseguiu mais se conter. Havia muita gente na sala, e ele disse a seus assistentes: "Saiam todos daqui!". Assim, ficou a sós com seus irmãos e lhes revelou sua identidade. José se emocionou e começou a chorar. Chorou tão alto que os egípcios o ouviram, e logo a notícia chegou ao palácio do faraó.
>
> "Sou eu, José!", disse a seus irmãos. "Meu pai ainda está vivo?" Mas seus irmãos ficaram espantados ao se dar conta de que o homem diante deles era José e perderam a fala. "Cheguem mais perto", disse José. Quando eles se aproximaram, José continuou: "Eu sou José, o irmão que vocês venderam como escravo ao Egito. Agora, não fiquem aflitos ou furiosos uns com os outros por terem me vendido para cá. Foi Deus quem me enviou adiante de vocês para lhes preservar a vida".
>
> Gênesis 45.1-5

O destino final daqueles que participam do plano maravilhoso de Deus não é meramente subir na vida como José, mas é sobretudo descer o caminho da reconciliação como José. O *shalom* que Deus desejava estabelecer por meio de José não se reduzia à sua capacidade de testemunhar a sabedoria de Deus ou de combater a miséria do Egito. O *shalom* de Deus por meio de José deveria desembocar também na restauração de suas relações, na cura de seu passado e na preservação da descendência de Abraão. De nada teria adiantado José ter subido na vida se, no final de sua jornada, o mal que os irmãos lhe fizeram tivesse tornado José igualmente mal. O pior mal que o mal pode fazer conosco é nos tornar mal também. E, se José tivesse se tornado alguém como seus irmãos, o plano maravilhoso de Deus para José e para a descendência de

Abraão — e, consequentemente, para o mundo — teria sido posto em xeque.

A jornada mais importante que Deus convida seu povo a percorrer, portanto, é a jornada do perdão, da reconciliação, do abandono da vingança. O perdão é a base que sustenta o plano maravilhoso de Deus, e o perdão é o único meio pelo qual o mal pode ser quebrado. Só pode haver vida após Gênesis 3 porque Deus se absteve da vingança e escolheu o perdão. E nós só podemos estar aqui hoje porque José, um dia, perdoou seus irmãos e abriu o caminho para que o descendente perfeito de Judá, Jesus de Nazaré, viesse ao mundo para nos perdoar plenamente ao absorver em si mesmo na cruz do Calvário todo o mal que fizemos contra Deus e contra o nosso próximo. Por causa da justificação que Jesus, o descendente ideal de Abraão, assegurou a nós, temos *shalom* com Deus: "Portanto, uma vez que pela fé fomos declarados justos, temos *paz* com Deus por causa daquilo que Jesus Cristo, nosso Senhor, fez por nós" (Rm 5.1).

Assim, a história de José nos conta que ser um povo que desfruta do favor de Deus e que tem sua sorte revertida pelo favor de Deus significa ser um povo que estabelece *shalom* estendendo o perdão de Deus. O próprio Senhor Jesus diz: "Felizes os que promovem a paz [os produtores de *shalom*], pois serão chamados filhos de Deus" (Mt 5.9). O maior milagre que aconteceu na vida de José não foi ele ter se tornado o segundo homem mais poderoso do mundo após todos aqueles anos de injustiça e de sofrimento. O maior milagre foi José, tendo se tornado o segundo homem mais poderoso do mundo, conseguir acolher seus agressores e lhes dar nova chance. Não foi fácil. José chorou três vezes nesse percurso. Mas esse é o caminho do *shalom* de Deus: um caminho regado pelas lágrimas de um povo que sente a dor das injustiças de um mundo quebrado, mas que sabe que a vingança — a multiplicação do mal — não é a resposta.

Nos últimos capítulos de Gênesis, então, entendemos em que consiste uma vida de fato bem-sucedida aos olhos de Deus — ou em que desemboca uma vida que realmente participa do plano maravilhoso de Deus. Uma vida que deu certo aos olhos de Deus não se caracteriza meramente pela posição social que possamos ocupar após superar certas dificuldades. É a capacidade de olhar para trás, para toda a nossa trajetória, e perceber que nossa narrativa pertence a um retrato muito mais amplo, cujo protagonista é o próprio Deus, que evidencia sucesso genuíno. O destino para onde o plano maravilhoso de Deus nos leva é uma posição de maturidade de caráter na qual percebemos que a soberania de Deus nos acompanhou em todos os momentos e nos ensinou que a vida não é para ser desperdiçada com nossas aspirações pessoais, mas, sim, dedicada à vontade de Deus.

É isso que expressa José no momento em que finalmente perdoa seus irmãos, em uma interpretação que tem somente Deus no centro de toda a história que ele havia vivido: "Agora, não fiquem aflitos ou furiosos uns com os outros por terem me vendido para cá. Foi Deus quem me enviou adiante de vocês para lhes preservar a vida" (Gn 45.5). José não isenta seus irmãos dos erros que cometeram, nem banaliza a trajetória de sofrimento que ele próprio teve de trilhar. Mas, porque entendeu que os propósitos que Deus tinha para ele diziam respeito a Deus, José pôde olhar para trás e ressignificar tudo aquilo à luz desse plano maravilhoso: mesmo no meio de tanto caos, maldade e morte, o favor de Deus acabou produzindo ordem, paz e vida — *shalom* — em proporções que José jamais teria imaginado. É muito importante, assim, que, em vez de culpar seus irmãos, José entende que o próprio Deus estava por trás de toda a sua trajetória. E, porque entendeu que foi Deus quem o colocou naquela posição, José entendeu também que tudo era de Deus. E, porque José entendeu que tudo era de Deus, ele pôde se colocar à disposição de Deus para preservar sua família, não para se vingar dela. Essa é a característica de quem realmente se deu bem na vida: a capacidade de olhar para trás, reconhecer todo o sofrimento vivido, perceber a companhia do Senhor em todos os momentos e entender que tudo o que temos na vida só tem sentido quando está a serviço do plano maravilhoso de Deus.

Consequentemente, uma pessoa que se deu bem na vida é aquela que se torna instrumento de esperança. Em Gênesis 49, Jacó faz um discurso de despedida a seus filhos antes de morrer. Só que esse discurso se dá em forma de profecia, inspirada por Deus, acerca de como os propósitos de Deus para a descendência de Abraão continuariam a se desenrolar nas gerações seguintes. Pouco tempo antes de expressar essas palavras, porém, Jacó achava que tudo estava perdido. Toda a sua família corria o risco de perecer de fome, e ele temia perder seus filhos assim como, em sua mente, já havia perdido José tantos anos antes. Entretanto, porque Deus havia trabalhado profundamente na vida de José naqueles vinte e dois anos, José acaba perdoando seus irmãos. E, porque José perdoou seus irmãos, a história da salvação de Deus pôde seguir adiante. É por isso que os últimos capítulos da história de José, no final de Gênesis, falam muito mais sobre Jacó do que sobre José — toda a descendência de Abraão encontra esperança.

Como resultado, se Jacó é apresentado ao longo de toda essa história como um pai severamente afetado pela perda de José, quando José enfim "volta dos mortos", a própria visão de Jacó sobre o plano maravilhoso de Deus sofre uma profunda transformação: ele entende que Deus deu uma nova chance à sua família e, inspirado pelo próprio Espírito de Deus, Jacó anuncia, cheio de esperança, que Deus nunca mudará de ideia. E a mais notável de todas as coisas que Jacó expressa em Gênesis 49 é o que estaria reservado para a descendência de Judá:

> O cetro não se afastará de Judá,
> nem o bastão de autoridade de seus descendentes,
> até que venha aquele a quem pertence,
> aquele que todas as nações honrarão.
>
> Gênesis 49.10

O que Jacó está dizendo aqui é que, da descendência de Judá, viria ninguém menos que o rei da nação eleita. Da mesma forma que Rute e Boaz nem sequer faziam ideia de que sua história culminaria no nascimento de Davi, José também não fazia ideia do real impacto que sua trajetória teria na história. Mas é isso que acontece quando o povo de Deus caminha fielmente em sua presença: o povo de Deus participa do plano maravilhoso de Deus que atravessa as gerações e nos sustenta com esperança. E, no final, essa esperança lembrou José de que a história última que definia sua identidade não era a história de como ele havia subido na vida no Egito depois de tanto tempo de sofrimento, mas, sim, a história de como Deus trabalhou naquela bagunça para realizar a redenção do mundo — e, por isso, antes de morrer, José pede que seus ossos sejam levados do Egito para a terra prometida, quando Deus enfim tirasse seu povo de lá.

Por fim, uma pessoa que realmente se deu bem na vida participa da obra de Deus de quebrar concretamente o ciclo de caos iniciado em Gênesis 3. Os efeitos do pecado são tão profundos que persistem não somente na vida de quem sofre injustiça, mas também na consciência de quem perpetra injustiça. No caso de José, mesmo depois do estabelecimento seguro de sua família na terra do Egito, os efeitos da maldade cometida por seus irmãos tinham o potencial de trazer à tona velhos sentimentos que poderiam fragilizar o recomeço que Deus, por sua graça, havia possibilitado.

É isso que vemos no final da história, após a morte de Jacó:

> Depois de sepultar Jacó, José voltou para o Egito com seus irmãos e com todos que o haviam acompanhado. Uma vez que seu pai estava morto, porém, os irmãos de José ficaram temerosos e disseram: "Agora José mostrará sua ira e se vingará de todo o mal que lhe fizemos".
>
> Por isso, enviaram a seguinte mensagem a José: "Antes de morrer, nosso pai mandou que lhe disséssemos: 'Por favor, perdoe seus irmãos pelo grande mal que eles lhe fizeram, pelo pecado que cometeram ao tratá-lo com tanta crueldade'. Por isso, nós, servos do Deus de seu pai, suplicamos que você perdoe nosso pecado".
>
> Gênesis 50.14-17

Em nenhum momento até então, os irmãos de José haviam de fato pedido perdão a José. E, porque nunca pediram perdão a José, nunca receberam esse perdão em suas consciências, de modo que permaneceram escravos do passado e inseguros quanto a um futuro que agora dependia da benevolência de José. Agora, com a morte de Jacó — o elo forte da relação entre José e seus irmãos —, os irmãos de José começam a ficar desconfiados, achando que, no fundo, José só estava esperando o pai morrer para se vingar deles. Então, sentindo-se ameaçados, bolam um plano de usar a figura de Jacó para conseguir manter o favor de José. Aqui, precisamos perceber que os irmãos agem assim porque, no fundo, ainda não entenderam a profundidade da graça de Deus — agem assim porque se colocam no lugar de José e concluem que, se fossem eles no lugar de José, jamais perdoariam seus irmãos.

Contudo, quando os irmãos se aproximam de José, ele mostra aos irmãos que o elo mais forte que os unia não era Jacó, mas, sim, a graça inesgotável de Deus. Quando José finalmente ouve a confissão de seus irmãos, ele reafirma o plano maravilhoso de Deus, quebrando a possibilidade de o passado voltar a determinar a qualidade de suas relações no presente e no futuro: "Vocês planejaram o mal contra mim, mas Deus planejou o bem, para a salvação de muitos" (Gn 50.20, minha tradução).

E o perdão de José jamais representou um ato sentimentalista, como se José só quisesse viver em paz dali em diante fingindo que nada tivesse acontecido. Com efeito, José chama aquilo que os irmãos haviam feito com ele, com todas as letras, de *mal* — o ato de perdoar, aliás, requer chamar o mal de mal.[1] No entanto, porque José aprendeu a interpretar todo o seu sofrimento à luz do caráter de Deus, ele foi capaz de superar o mal causado por seus irmãos, sem se vingar deles, rompendo assim o ciclo de violência que eles haviam

[1] Veja Miroslav Volf, *Exclusão e abraço: Uma reflexão teológica sobre identidade, alteridade e reconciliação* (São Paulo: Mundo Cristão, 2021).

iniciado contra ele. E o mais importante é que o perdão de José não se reduziu a um evento pontual, mas foi um movimento constante e insistente, que precisou ser repetido mesmo após a morte de Jacó, até que seus irmãos entendessem que eles de fato tinham uma nova vida a viver. A história de José e de seus familiares — a história da descendência de Abraão — pôde seguir adiante, porque José insistiu em não devolver caos com caos.

Para quem sabe como o enredo da salvação desemboca nas páginas do Novo Testamento, é impossível olhar para a história de José e não se lembrar de Jesus. Este último "filho de Jacó" é também o Leão da Tribo de Judá que se fez o Cordeiro de Deus em favor do mundo, que sofreu toda a injustiça do mundo, literalmente voltou dentre os mortos, cumpriu definitivamente a vontade de Deus, nos ofereceu nova vida, encheu nosso presente de esperança, assegurou nosso futuro glorioso com ele e quebrou completamente o ciclo de Gênesis 3. Portanto, em última instância, o nosso destino — o lugar para onde a história de José aponta — é parecer-se com Jesus.

7

Mas, no princípio, houve também descanso e *shalom*

Na perspectiva das Escrituras Sagradas, trabalhar não é um mal necessário, muito menos uma punição que a humanidade recebeu por ter desobedecido a Deus. O trabalho diz respeito ao desejo de Deus de continuar a estender sua plenitude de vida em toda a criação por meio de nós, que fomos criados à sua imagem e semelhança. Trabalhar é fazer a manutenção do *shalom* de Deus — da paz, da segurança, do florescimento dos propósitos de Deus — no mundo.

Falar de trabalho, porém, necessariamente nos leva a falar sobre outro assunto de igual modo importante no enredo bíblico, que está intimamente relacionado à nossa vocação fundamental de produzir *shalom* — isto é, o descanso. Uma leitura abrangente da história contada nas Escrituras nos impede de pensar sobre trabalho de forma completa sem refletir também sobre a importância do descanso. Até mesmo quando se busca refletir sobre essas questões por uma ótica secularista, é inevitável admitir que trabalho e descanso são duas das atividades mais inter-relacionadas de nossa rotina. Muito de nossa vida se resume a trabalhar para descansar e descansar para trabalhar.

A questão é que, assim como acontece com o tema do trabalho, descanso é algo um tanto complicado de se definir. Todos nós sabemos que necessitamos de descanso,[1] mas poucos

[1] Veja os benefícios práticos do descanso em Alex Soojun-Kim Pang, *Rest: Why You Get More Done When You Work Less* (New York: Basic Books, 2016).

saberiam articular, por uma perspectiva bíblica, exatamente em que consiste tal prática, muito menos por que ela é tão essencial para nossa vida. A única explicação que boa parte dos cristãos está acostumada a dar para o descanso é pragmática — e, por vezes, utilitarista —, não necessariamente teológica: descansar é preciso porque o ato de repousar nos "desestressa" e aumenta a produtividade de nosso trabalho. Não à toa, muitos cristãos hoje, profundamente moldados pelos valores do acúmulo de ganho e da realização individual, cada vez mais têm pensado em descanso como algo que fazemos somente quando sobra tempo, como se fosse um item secundário qualquer da agenda. Entretanto, é bem relevante que as Escrituras nos apresentem a centralidade do descanso logo nos primeiros capítulos da Bíblia — de novo, no relato da criação.

Conforme vimos anteriormente neste livro, a criação do universo foi fruto do trabalho de Deus. Se existe um cosmo, é porque Deus trabalhou para criar esse cosmo. E ele fez isso com o propósito específico de tornar o universo o lugar onde sua vontade seria realizada de forma concreta e visível. Relembrar isso é importante porque é essa realidade que dá substância a nosso próprio trabalho: nosso trabalho diz respeito à vocação dada por Deus à humanidade de fazer a manutenção do universo como o espaço onde os planos divinos se realizam — de fazer a manutenção de *shalom*.

Há, porém, ainda outro detalhe no retrato de Gênesis, sem o qual nosso entendimento da vocação humana ficaria incompleto: o trabalho de Deus na criação não parou na criação, mas alcançou um ponto culminante além da criação. E esse ponto culminante foi seu *descanso* na criação. É isso que lemos em Gênesis 2.1-3:

> Desse modo, completou-se a criação dos céus e da terra e de tudo que neles há. No sétimo dia, Deus havia terminado sua obra de criação e descansou de todo o seu trabalho. Deus abençoou o sétimo dia e o declarou santo, pois foi o dia em que ele descansou de toda a sua obra de criação.

Mas, afinal de contas, o que foi esse descanso de Deus? Será que Gênesis está nos dizendo que Deus simplesmente se cansou de gerar vida no universo por meio de sua palavra e, no final, resolveu tirar uma folga?

No mundo antigo, a imagem dos deuses descansando representava a crença de que essas divindades exerciam seu governo sobre a esfera do cosmo que lhes era pertinente.[2] Descansar, em referência às divindades, encapsulava o ato de governar, de reinar. E isso acontecia a partir de seus tronos em seus templos. Ao nos dizer que Deus descansou no sétimo dia, tendo criado todas as coisas nos seis dias anteriores, o autor de Gênesis afirma que o Criador concretizava seu desejo de fazer do universo seu espaço sagrado de habitação e de governo — o lugar onde sua boa vontade seria realizada.

Desse modo, o descanso de Deus, não somente seu trabalho, é fundamental para entendermos o que é *shalom*: o descanso divino no sétimo dia é a afirmação de que a criação é o lar de Deus e que o cosmo está nas mãos desse Deus que deseja reinar sobre ele. O descanso de Deus não é um evento meramente passivo, como se Deus tivesse calçado suas sandálias e tirado uma soneca na rede, só porque não havia mais nada a ser feito. O descanso de Deus é um evento ativo, em

[2] Veja John H. Walton, *O pensamento do Antigo Oriente Próximo e o Antigo Testamento: Introdução ao mundo conceitual da Bíblia Hebraica* (São Paulo: Vida Nova, 2021), p. 98-123.

que a própria presença divina dá sentido a tudo o que ele acabou de criar. No retrato bíblico da criação, portanto, *shalom* é o resultado da harmonia perfeita entre o trabalho e o descanso de Deus. Se o trabalho de Deus nos seis dias da criação é o que possibilitou a existência do cosmo como espaço de paz, segurança e florescimento, o descanso de Deus no sétimo dia é o que definiu essa realidade: *shalom* é Deus habitando e governando — cumprindo sua vontade — no universo "muito bom" que ele criou. Na descrição de Deus descansando no sétimo dia e santificando esse momento, Gênesis 2 está nos dizendo que, assim como não haveria ordem sem o trabalho de Deus na criação, tampouco haveria plenitude de vida sem o descanso de Deus no ponto alto da criação. Afinal, de que adiantaria uma casa cósmica muito bem construída se essa casa não servisse de lar para o Criador dela?

Quando Adão e Eva, a partir de Gênesis 2.4, recebem da parte de Deus a tarefa de cultivar o jardim do Éden — de trabalhar na manutenção do *shalom* de Deus na criação —, isso ocorre no contexto em que o Criador já descansou no sétimo dia. Por implicação, tão importante quanto entender a vocação humana como a extensão do trabalho de Deus é notar que o trabalho de Adão e Eva foi dado após o descanso de Deus — após o Criador de fato ter declarado o universo como seu lugar de habitação e de governo. É a partir do descanso de Deus que o trabalho humano devia acontecer, pois o trabalho humano é uma extensão do trabalho de Deus e acontece, simultaneamente, debaixo da realidade do descanso de Deus.

Implícita na tarefa dada a Adão e Eva de cultivar o jardim do Éden, portanto, está a harmonia entre trabalho e descanso modelada pelo próprio Criador. É instrutivo, aliás, que em

Gênesis 2 Deus não diga nada a Adão e Eva sobre a necessidade que eles tinham de descansar. Dentro da condição perfeitamente ordenada do Éden, é bem possível que essa instrução fosse redundante, já que trabalho e descanso aconteceriam em uma sincronia perfeita, naturalmente, conforme a humanidade dependesse da sabedoria de Deus e confiasse em seu reinado soberano sobre o universo. A própria imagem da jardinagem, que já exploramos em certo detalhe no primeiro capítulo deste livro, deixa subentendida uma dinâmica de cultivo, de cuidado — e de descanso. É claro que há uma distinção do trabalho e do descanso de Deus com o trabalho e o descanso da humanidade: nosso trabalho e descanso são apenas reflexos do que Deus já realizou na criação da forma como só ele poderia ter realizado. Ninguém cria galáxias *ex nihilo* ("do nada") como Deus, assim como ninguém exerce governo soberano sobre o universo como Deus. De todo modo, o ponto é que a vocação humana se espelha no mesmo padrão harmônico entre o trabalho e o descanso de Deus na criação: o trabalho humano aponta para o trabalho de Deus nos seis primeiros dias da criação, e o descanso humano aponta para o descanso soberano de Deus no sétimo dia da criação.

O problema é que, quando notamos que a Bíblia apresenta trabalho e descanso como dois elementos essenciais da plenitude de vida na criação, percebemos que nem sempre é isso que experimentamos. Há os *workaholics*, que vivem escravos de sua carreira, como se a identidade humana se definisse somente a partir do que pode ser produzido ou adquirido por meio de nosso esforço profissional. Para essas pessoas, descansar é perda de tempo, irrelevante. Há também os ansiosos, que vivem como se pudessem ter tudo — inclusive o futuro — sob controle e, por isso, se veem incapazes de repousar, tomados pelas inquietações mais elementares da vida. Para essas pessoas, descansar é loucura, desesperador. E há ainda os *bon-vivants*, que praticam várias formas de descanso com certa regularidade (tiram férias, se envolvem em atividades de lazer, têm um ritmo de vida menos acelerado em termos de volume de trabalho), mas que, nesse processo, fazem do ócio um fim em si mesmo e tornam sua vida inútil para o reino de Deus. Para essas pessoas, descansar é o valor mais importante da vida — mais importante até que alinhar-se ao reino de Deus. Todos esses exemplos compartilham de um mesmo dilema: além de viverem, na prática, como se Deus não existisse, descanso e trabalho são sempre considerados duas atividades concorrentes, quase que mutuamente excludentes. Não surpreende que o *burnout* tenha se tornado um fenômeno cada vez mais comum na sociedade contemporânea.[3]

Mais uma vez, o evento de Gênesis 3 explica esse contraste: a queda — a decisão que a humanidade tomou de trilhar seu próprio caminho autônomo, sem Deus — rompeu a ordem do cosmo. A partir do momento em que a humanidade vira as costas para o Criador, perde-se de vista não somente o significado do trabalho, como também a harmonia entre o trabalho e o descanso. Como resultado, a experiência de *shalom*, inclusive por meio do descanso, fica comprometida. Da mesma forma que os "espinhos" e as "ervas daninhas" passaram a acompanhar nosso trabalho após Gênesis 3, o pecado ocasionou uma ruptura entre nós e a possibilidade de nossa participação no descanso de Deus. O que, afinal de contas,

[3] Para uma análise incisiva das razões culturais desse "esgotamento" disseminado, veja Byung-Chul Han, *Sociedade do cansaço* (Petrópolis, RJ: Vozes, 2015).

podem acarretar os "espinhos" e as "ervas daninhas", senão mais trabalho e menos descanso? E a própria deterioração dos relacionamentos humanos, imediatamente resultante do pecado e visível em nossa proclividade por dominar o próximo (Gn 3.14-24), representa uma contradição direta ao sétimo dia da criação: olhar para o outro não mais como um semelhante, mas, sim, como um concorrente nos coloca em profundo descompasso com a realidade do descanso divino — da habitação de Deus no cosmo e de seu reinado perfeito sobre tudo e todos. (É no mínimo curioso que a prática regular do descanso, sem mencionar um dia inteiro da semana separado para isso, esteja quase completamente ausente das civilizações pagãs antigas, e que a instituição da escravidão seja praticamente ubíqua por muito tempo na história.) Uma vez que a ordem do Éden é quebrada, até mesmo descansar torna-se um fardo penoso.

Conforme temos destacado repetidas vezes, todavia, Deus jamais desistiu de seu desejo de fazer do universo um lugar de *shalom* por meio da humanidade. Vemos no restante do enredo bíblico que o Criador forma para si um povo, para que, a partir desse povo, ele possa mostrar a todas as nações do que sempre se tratou a criação do cosmo e a vocação humana. E, como notamos no segundo capítulo acima, o evento fundacional em que isso ocorre é o êxodo, quando Deus resgata os descendentes de Abraão da escravidão do Egito, faz uma aliança com eles e lhes dá a lei.

A lei é relevante também quando pensamos teologicamente sobre o descanso, pois, sendo uma referência para que o povo de Deus possa viver como um reino de sacerdotes — um povo de *shalom* —, instrui da forma mais explícita possível sobre a centralidade do descanso:

> Lembre-se de guardar o sábado, fazendo dele um dia santo. Você tem seis dias na semana para fazer os trabalhos habituais, mas o sétimo dia é o sábado do SENHOR, seu Deus. Nesse dia, ninguém em sua casa fará trabalho algum: nem você, nem seus filhos e filhas, nem seus servos e servas, nem seus animais, nem os estrangeiros que vivem entre vocês. O SENHOR fez os céus, a terra, o mar e tudo que neles há em seis dias; no sétimo dia, porém, descansou. Por isso o SENHOR abençoou o sábado e fez dele um dia santo.
>
> Êxodo 20.8-11

Ou seja, tão importante quanto não adorar uma imagem, não desonrar os pais, não assassinar ou não trair o cônjuge é santificar o dia do descanso! E a força do quarto mandamento está inteiramente predicada no relato da criação. O termo hebraico *shabbat*, traduzido por "sábado", aliás, vem do verbo *shavat*, utilizado em Gênesis 2.3 para falar do descanso de Deus no sétimo dia da criação. Já que o descanso de Deus em Gênesis 2.3 afirma que Deus criou céus e terra para fazer de céus e terra seu espaço sagrado de habitação e seu lugar de governo, ser povo de Deus significa apontar para essa realidade e viver à luz dela.

Lembrar-se do sábado, portanto, é lembrar-se de que todas as coisas nos céus e na terra devem sua existência ao Criador. Nas palavras de Abraham Heschel, "o sábado ensina todas as criaturas a quem louvar".[4] Sem descanso, vivemos como se o cosmo estivesse à deriva do caos e à mercê de nossas conquistas individuais. Na santificação do descanso, em contrapartida, o povo de Deus afirma que Deus sempre permaneceu no

[4] Abraham Joshua Heschel, *The Sabbat* (New York: Farrar, Straus and Giroux, 1951), p. 34, edição Kindle.

controle de todas as coisas. Ademais, quando lembramos que o Decálogo foi concedido ao povo após séculos de opressão no Egito, onde o faraó reduzia os hebreus a meras máquinas de produção, percebemos que o quarto mandamento faz uma declaração muito profunda sobre o valor da liberdade humana. Mais para a frente na lei, em Levítico 25, vemos que a lógica do descanso sabático semanal deveria se repetir em uma escala de "semanas de anos" (a cada seis anos de trabalho, um ano de descanso), culminando no Ano do Jubileu, o ano seguinte ao sétimo ano sabático — ou seja, o quinquagésimo ano. E uma das características mais marcantes do Ano do Jubileu era a possibilidade que as pessoas tinham não somente de resgatar propriedades anteriormente vendidas por conta de dificuldades financeiras, mas, mais importante ainda, de conseguir alforria.

> Quando Moisés estava no monte Sinai, o SENHOR lhe disse: "Dê as seguintes instruções ao povo de Israel. Quando entrarem na terra que eu lhes dou, a terra deverá observar um sábado para o SENHOR a cada sete anos. Durante seis anos, vocês semearão os campos, podarão os vinhedos e farão a colheita, mas no sétimo ano a terra terá um ano sabático de descanso absoluto. É o sábado do SENHOR. Durante esse ano, não semeiem os campos nem façam a poda dos vinhedos. Não ceifem o que crescer espontaneamente nem colham as uvas dos vinhedos não podados. A terra terá um ano de descanso absoluto. [...]
>
> "Contem sete anos sabáticos, sete vezes sete anos, no total de 49 anos. Então, no Dia da Expiação do ano seguinte, façam soar por toda a terra um toque longo e alto de trombeta. Consagrem esse ano, o quinquagésimo ano, como um tempo de proclamar a liberdade por toda a terra para todos os seus habitantes. Será um ano de jubileu para vocês, no qual cada um poderá voltar

à terra que pertencia a seus antepassados e regressar a seu próprio clã. O quinquagésimo ano será um jubileu para vocês. Nesse ano, não semearão os campos, nem ceifarão o que crescer espontaneamente, nem colherão as uvas dos vinhedos não podados. Será um ano de jubileu para vocês e deverão mantê-lo santo. Comam o que a terra produzir espontaneamente. No Ano do Jubileu, cada um poderá retornar à terra que pertencia a seus antepassados. [...]

"Sempre que uma propriedade for negociada, o vendedor deverá ter o direito de comprá-la de volta. Se alguém do seu povo empobrecer e for obrigado a vender parte das terras da família, um parente próximo deverá comprar a propriedade de volta para ele. Se não houver qualquer parente próximo para comprar a propriedade, mas a pessoa que a vendeu conseguir dinheiro suficiente para comprá-la de volta terá o direito de resgatá-la de quem a comprou. Do preço da terra será descontado um valor proporcional ao número de anos até o próximo Ano do Jubileu. Desse modo, o primeiro dono da propriedade terá condições de retornar à sua terra. Se, contudo, o primeiro dono não tiver condições de comprar de volta a propriedade, ela ficará com o novo dono até o Ano do Jubileu seguinte. Nesse ano, a propriedade será devolvida aos primeiros donos, a fim de que voltem à terra de sua família. [...]

"Se alguém do seu povo empobrecer e for obrigado a se vender para vocês, não o tratem como escravo. Tratem-no como empregado ou residente temporário que mora com vocês e os servirá apenas até o Ano do Jubileu. Então ele e seus filhos estarão livres e voltarão aos clãs e à propriedade que pertencia a seus antepassados. Os israelitas são os meus servos que eu tirei da terra do Egito, de modo que jamais devem ser vendidos como escravos. Mostrem seu temor a Deus tratando-os sem violência."

Levítico 25.1-5,8-13,24-28,39-43

É nítido aqui que o descanso do povo deveria apontar para a realidade última do descanso de Deus: a terra e todos os seus habitantes pertencem a ele somente.

No descanso, afirmamos também que não somos escravos de nossos afazeres, das urgências do dia a dia ou das expectativas irrealistas que o mundo insiste em projetar sobre nós. Deus colocou ordem no caos por meio de seu trabalho, mas, ao descansar no sétimo dia, declarou sua soberania sobre tudo, inclusive seu próprio trabalho. Por mais essencial que seja trabalhar, não pertencemos ao nosso trabalho. Somos regentes de Deus, criados à sua imagem e semelhança, chamados ao *shalom*. No descanso, colocamos nossa identidade e todas as nossas obrigações sob a perspectiva da presença e do governo de Deus. Dessa maneira, o descanso é a forma mais contundente de resistirmos ao cativeiro da independência de Deus, de nosso falso senso de grandeza, de nossas ambições idólatras e da ansiedade.[5] Não é por acaso que o quarto mandamento se encontre no ponto de junção entre os imperativos que ensinam o povo a amar a Deus (primeiros três mandamentos) e aqueles que exortam o povo a amar seu próximo (últimos seis mandamentos). A santificação do sábado conecta o primeiro mandamento ao último — a proibição da idolatria à proibição da cobiça — e nos lembra de que é sob a realidade do descanso de Deus que nossa vocação como povo de *shalom* é recalibrada.[6]

É por isso que, em um mundo pós-Genesis 3, onde a humanidade se encontra distante da realidade do descanso de

[5] Veja Walter Brueggemann, *Sabbath as Resistance: Saying No to the Culture of Now* (Louisville, KY: Westminster John Knox Press, 2017).
[6] Ibid., p. 1, edição Kindle.

Deus, perdida no círculo vicioso de sua autonomia, a santificação do descanso se torna um mandamento, não mera opção. Assim como é nosso papel participar do trabalho de Deus por meio de nosso trabalho, é nossa responsabilidade também apontar para o descanso de Deus por meio de nosso descanso. Descansar é um dever santo, pois sem descanso perdemos de vista a razão por que fomos criados.

O profeta Jeremias, por exemplo, tinha precisamente isso em mente quando, muitas gerações após o êxodo, denunciou a incredulidade e a ganância do povo eleito, mencionando a quebra do descanso sabático como uma das causas do exílio iminente:

> Assim diz o SENHOR:
> "Maldito é quem confia nas pessoas,
>   que se apoia na força humana
>   e afasta seu coração do SENHOR. [...]
>
> Assim me disse o SENHOR: "Vá e fique junto aos portões de Jerusalém, primeiro junto ao portão por onde o rei entra e sai, depois junto a cada um dos outros portões. Diga ao povo: 'Ouçam esta mensagem do SENHOR, reis de Judá, todo o povo de Judá e todos os habitantes de Jerusalém, vocês todos que passam por estes portões. Assim diz o SENHOR: Ouçam minha advertência! Parem de negociar junto aos portões de Jerusalém no dia de sábado. Não trabalhem no sábado, mas façam dele um dia santo. Foi o que ordenei a seus antepassados, mas eles não deram ouvidos nem obedeceram. Recusaram-se teimosamente a prestar atenção e não aceitaram minha disciplina.
>
> "'Se, contudo, vocês me obedecerem, diz o SENHOR, e não negociarem junto aos portões da cidade nem trabalharem no sábado, se o guardarem como dia santo, então o rei e seus oficiais entrarão e sairão por estes portões para sempre. Sempre haverá

um descendente de Davi sentado no trono em Jerusalém. Os reis e seus oficiais entrarão e sairão em carruagens e a cavalo no meio do povo de Judá, e esta cidade permanecerá para sempre. De todas as partes ao redor de Jerusalém, das cidades de Judá e Benjamim, das colinas do oeste, da região montanhosa e do Neguebe, virá gente para apresentar holocaustos e sacrifícios. Trarão ofertas de cereal, incenso e ofertas de gratidão ao templo do SENHOR.

"'Mas, se vocês não me ouvirem e não guardarem o sábado como dia santo e se, nesse dia, trouxerem cargas de mercadorias pelos portões de Jerusalém como nos outros dias, porei fogo nestes portões. O fogo se espalhará até os palácios e os consumirá, e ninguém será capaz de apagar as chamas'".

Jeremias 17.5,19-27

O desprezo pelo quarto mandamento representava a insistência do povo em confiar em si mesmo, em se "apoiar na força humana".

Jesus, por sua vez, descansava. Vez por outra nos Evangelhos, vemos Jesus ao redor da mesa (Lc 5.27-39; 15.1-2), pedir água (Jo 4.1-42), convidar os cansados a tomarem seu jugo (Mt 11.28-30) e até mesmo dormir em meio a uma tempestade (Mc 4.35-41). E, por mais óbvia que seja a afirmação de que Jesus descansava — afinal, sendo perfeitamente humano, Jesus carecia de repouso como qualquer um de nós —, muitos crentes parecem esquecer-se da significância disso, supondo ser necessariamente uma virtude viver ocupados, cheios de compromissos e de novas oportunidades de produzir, de aparecer. É verdade: não há nada de bom em viver o tempo todo desocupado, de forma improdutiva no que diz respeito ao *shalom* de Deus. O padrão de vida de Jesus, porém, deveria nos fazer pausar e examinar nossas motivações:

ele, que é o Salvador do mundo, de quem depende nada menos que a subsistência e a redenção do universo, por meio de quem a própria morte foi derrotada, parava para descansar. Ele, que teve a tarefa mais sublime e urgente e crucial e inadiável de salvar a humanidade da realidade de Gênesis 3, jamais se esqueceu de que "Deus havia terminado sua obra de criação e descansou de todo o seu trabalho".

Mas tudo isso levanta uma série de outras questões. Se o descanso do povo de Deus deve apontar para o descanso do próprio Criador, será que tudo o que chamamos de descanso é de fato descanso por uma perspectiva bíblica? Além disso, como interpretar a postura de Jesus em relação ao sábado propriamente dito? Os Evangelhos mostram que ele se envolveu em polêmicas que, na superfície, pareciam contradizer a importância do sétimo dia da semana. Será que a chegada do reino de Deus ressignifica nossa percepção do quarto mandamento? Abordaremos essas e outras perguntas no próximo capítulo.

Por ora, cabe perguntar qual tem sido o lugar do descanso em nossa agenda. Quando olhamos para os Dez Mandamentos, temos a tendência de medir nossa espiritualidade a partir do "não mate", "não roube" e "não dê falso testemunho contra o seu próximo". É fácil pensar que a quebra de qualquer um desses mandamentos representa uma afronta ao caráter de Deus, mas o fato é que deixar de descansar é igualmente sério, pois nos faz viver aquém de quem fomos criados — deixar de descansar nos desumaniza e nos distancia do *shalom* de Deus. Que Deus nos ajude a honrá-lo não somente com nosso trabalho, mas também com nosso descanso.

8
A esperança do descanso escatológico

Qual é a primeira coisa que vem à mente quando você ouve a palavra "descanso"? Viagem? Parque? Montanha? Praia? Ar fresco? Soneca? Maratona de séries? Compras? Taça de vinho? Pescaria? Todas as anteriores? Lá em casa, cada um tem sua preferência. Um dia *off* ideal, no meu caso, envolve acordar de uma boa noite de sono, tomar um café da manhã caprichado após meus exercícios devocionais, fazer alguma atividade ao ar livre com a família (viagens "bate e volta" à praia estão entre as favoritas das crianças), tirar um cochilo após o almoço, ler até o final da tarde e adentrar a noite ao redor da mesa com os amigos. Para minha querida esposa, todavia, nem sempre uma folga ideal seguiria essa ordem, principalmente a parte da *siesta* (por alguma razão que eu nunca compreenderei, sonecas no meio do dia não a agradam). O ponto é que descansar pode assumir diferentes formas, dependendo das características de cada pessoa.

Mas será que o descanso é uma daquelas coisas que não importa como fazemos, desde que traga algum benefício a nosso bem-estar? Como será que a Bíblia nos ajuda a compreender nossa prática do descanso de maneira mais objetiva?

No capítulo anterior, vimos que, longe de ser um item opcional na agenda do povo de Deus, descansar é tão essencial quanto as demais atividades sagradas com as quais nos envolvemos em nossa rotina. E esse é o caso não somente porque o descanso é benéfico à saúde (o que certamente é verdadeiro), mas sobretudo porque o ponto alto da existência do universo se encontra no descanso do próprio Criador. A razão por que descansar é importante não é meramente pragmática, mas teológica: nosso descanso aponta para a realidade de que existimos para Deus e de que ele tem o universo em suas mãos — nosso descanso afirma que existimos para os propósitos de Deus, que Deus está no controle de tudo, e que tudo o que fazemos em nosso trabalho é para o louvor dele.

Conforme notamos no capítulo 2, porém, o pecado complicou nosso envolvimento com o trabalho e ocasionou a morte, a contradição última do *shalom* de Deus. E, ao contrário do que muitos possam imaginar, a morte é a contradição última também de nosso descanso. Essa afirmação pode até causar certa estranheza, já que estamos acostumados a enxergar a morte como uma forma de descanso — tanto é que costumamos dizer "descanse em paz" quando alguém "parte desta para a outra". Entretanto, no enredo bíblico, a morte vai na contramão do descanso de Deus. Onde há *shalom* perfeito, não há morte. Logo, onde há descanso verdadeiro, há vida eterna, porque a morte e o *shalom* são duas realidades mutuamente excludentes. Para que nosso descanso continue fazendo sentido em um mundo pós-Gênesis 3, portanto, carecemos de uma perspectiva redentiva sobre o descanso — de uma base firme que sustente nossa esperança na prática do descanso, que possa ir além da morte.

Esse é um ponto em que o evento mais glorioso da história da humanidade — a ressurreição de Jesus — torna-se absolutamente relevante mais uma vez. A ressurreição de Jesus é a vitória definitiva de Deus sobre a morte e a concretização do reinado de Deus sobre o universo. O sepulcro vazio de Jesus é a culminação plena do trabalho e do descanso do Criador, a garantia de que o *shalom* perfeito de Deus será consumado no mundo vindouro. Dessa maneira, a ressurreição de Jesus assegura que nosso trabalho no Senhor jamais será "inútil" (1Co 15.58) e nos dá um vislumbre de como será nosso descanso final, escatológico.

Com efeito, ao longo do enredo bíblico após a dádiva da lei, o descanso do povo de Deus torna-se uma metáfora para descrever o cumprimento dos planos redentivos do Criador para o cosmo. Um exemplo clássico encontra-se no Salmo 95:

> Venham, vamos cantar ao SENHOR!
> Vamos aclamar a Rocha de nossa salvação.
> Vamos chegar diante dele com ações de graças
> e cantar a ele salmos de louvor.
> Pois o SENHOR é o grande Deus,
> o grande Rei acima de todos os deuses.
> Em suas mãos estão as profundezas da terra,
> a ele pertencem os mais altos montes.
> O mar é dele, pois ele o criou;
> suas mãos formaram a terra firme.
>
> Venham, vamos adorar e nos prostrar,
> vamos nos ajoelhar diante do SENHOR, nosso Criador,
> pois ele é o nosso Deus.
> Somos o povo que ele pastoreia,
> o rebanho sob o seu cuidado.
> Quem dera hoje vocês ouvissem a voz do SENHOR!
> Pois ele diz: "Não endureçam o coração,
> como fizeram seus antepassados em Meribá,
> como fizeram em Massá, no deserto.
> Ali eles me tentaram e me puseram à prova,
> apesar de terem visto tudo que fiz.

Por quarenta anos estive irado com eles e disse:
'São um povo cujo coração sempre se afasta de mim;
recusam-se a andar em meus caminhos'.
Assim, jurei em minha ira:
'Jamais entrarão em meu descanso'".

O tema do descanso é secundário no Salmo 95, ocorrendo no alerta que o salmista faz a seus leitores contra a falta de fé nas promessas de que Deus haveria de levar a cabo sua salvação. No entanto, é altamente relevante que o texto descreva a entrada na terra prometida, da qual a geração incrédula da época de Moisés acabou se privando, como a entrada no descanso de Deus. Tal identificação nos remonta ao fato de que a terra prometida estava em continuidade com os planos redentivos de Deus iniciados em Abraão, e indica uma ênfase dentro do enredo bíblico que aponta para a consumação da salvação do cosmo em termos de um descanso final. Alguns judeus do período mais próximo ao Novo Testamento, aliás, seguiram essa mesma linha de interpretação da história ao lançar mão da linguagem do descanso escatológico para antecipar o dia em que o Senhor haveria de estabelecer seu reinado de uma vez por todas na nova criação (cf. *Testamento de Daniel* 5.21).[1] A lógica é simples: já que a humanidade se distanciou da realidade do descanso de Deus em Gênesis 3, a restauração do *shalom* no universo envolve a realização plena do descanso de Deus com a redenção de toda a criação.

É disso que fala também o texto de Hebreus 4.1-13:

[1] Veja mais referências em Harold W. Attridge, *The Epistle to the Hebrews*, Hermeneia (Minneapolis: Fortress, 1989), p. 126.

Assim, uma vez que permanece a promessa de que entraremos no descanso de Deus, devemos ter cuidado para que nenhum de vocês pense que falhou. Porque essas boas-novas também nos foram anunciadas, como a eles, mas a mensagem de nada lhes valeu, pois não a receberam com fé e não se uniram àqueles que ouviram. Pois nós, os que cremos, entramos em seu descanso. Quanto aos demais, Deus disse:

"Assim, jurei em minha ira:
'Jamais entrarão em meu descanso'",

embora suas obras estejam prontas desde a criação do mundo. Sabemos que estão prontas por causa da passagem que menciona o sétimo dia: "No sétimo dia, Deus descansou de todo o seu trabalho". Mas, em outra passagem, Deus diz: "Jamais entrarão em meu descanso".

Portanto, o descanso está disponível para que alguns entrem nele, mas os primeiros que ouviram essas boas-novas não entraram por causa de sua desobediência. Por isso Deus estabeleceu outra ocasião para que entrem em seu descanso, e essa ocasião é "hoje". Ele anunciou isso por meio de Davi muito tempo depois, nas palavras já citadas:

"Hoje, se ouvirem sua voz,
não endureçam o coração".

Se Josué lhes tivesse dado descanso, Deus não teria falado de outro dia de descanso por vir. Logo, ainda há um descanso definitivo à espera do povo de Deus. Porque todos que entraram no descanso de Deus descansam de seu trabalho, como Deus o fez após a criação do mundo. Portanto, esforcemo-nos para entrar nesse descanso. Mas, se desobedecermos, como no exemplo citado, cairemos.

> Pois a palavra de Deus é viva e poderosa. É mais cortante que qualquer espada de dois gumes, penetrando entre a alma e o espírito, entre a junta e a medula, e trazendo à luz até os pensamentos e desejos mais íntimos. Nada, em toda a criação, está escondido de Deus. Tudo está descoberto e exposto diante de seus olhos, e é a ele que prestamos contas.

O propósito central de Hebreus é nos ajudar a entender, primeiro, que não há revelação da parte de Deus que seja superior àquilo que aconteceu na pessoa de Jesus, e segundo, que o evangelho requer uma resposta irrestrita de confiança e de obediência a Cristo. Já que Deus se revelou plenamente em Jesus, afastar-se dele, mesmo que por medo de perseguição, é afastar-se da única verdade que pode nos salvar. Jesus é superior a Moisés e até mesmo aos anjos: somente Jesus ressuscitou dos mortos, e somente ele é capaz de mediar nosso acesso a Deus. Nesse contexto, Hebreus 4.1-13 exorta seus leitores a permanecerem firmes no evangelho, porque somente Jesus pode garantir nossa participação na ressurreição dos mortos — no *shalom* final de Deus. E a linguagem que o autor de Hebreus usa aqui para preconizar isso é a linguagem do descanso: "Assim, uma vez que permanece a promessa de que entraremos no descanso de Deus, devemos ter cuidado para que nenhum de vocês pense que falhou" (Hb 4.1).

Trocando em miúdos, embora o descanso de Deus tenha feito parte de seu desejo original para o universo, a culminação plena desse descanso precisou ser postergada por causa de Gênesis 3. E a terra prometida, com o templo no centro, era apenas uma amostra da restauração do descanso que Deus desejava realizar no cosmo: "se Josué lhes tivesse dado descanso, não falaria, posteriormente, a respeito de outro dia.

Portanto, resta um repouso sabático para o povo de Deus" (Hb 4.8-9). Mas esse descanso foi finalmente inaugurado na ressurreição de Jesus — o evento que reverteu Gênesis 3, garantiu o estabelecimento de *shalom* e possibilitou o descanso final de Deus. (A mudança de sábado para domingo, como dia separado ao Senhor, não é mero capricho cristão, já que está firmemente ancorada na manhã do primeiro domingo de Páscoa, dia que marca o início do descanso escatológico.) Como resultado, nós, que vivemos nesse ínterim entre o descanso de Deus no sétimo dia da criação e o descanso de Deus na consumação da nova criação, já podemos participar do que Jesus realizou: "Pois nós, os que cremos, entramos em seu descanso" (Hb 4.3). Isso explica por que a ênfase da passagem — em continuidade com o Salmo 95 — recai sobre a obediência do crente à palavra de Deus: "Portanto, esforcemo-nos para entrar nesse descanso. Mas, se desobedecermos, como no exemplo citado, cairemos" (Hb 4.11). O descanso escatológico de Deus é o destino para o qual os cristãos estão caminhando: o descanso final de Deus, seu *shalom* consumado, é a realidade para a qual nós fomos salvos.

De fato, é isso que está implícito na maneira como Jesus lidou com o sábado durante sua missão. Para alguns de seus contemporâneos, Jesus aparentou certa leniência quanto à sacralidade do sétimo dia da semana. Não é coincidência que, no Sermão do Monte, Jesus tome a iniciativa de dizer que ele não veio "abolir a lei de Moisés ou os escritos dos profetas" (Mt 5.17). Somente alguém consciente de que seria considerado um violador do sábado, por exemplo, diria algo desse tipo. Mas há que se esclarecer: Jesus praticava o descanso a partir de uma convicção profunda do valor do sábado e descansava como alguém que sabia que o Pai estava no controle do universo. O descanso de Jesus não era meramente uma pausa ou uma distração das obrigações normais que ele tinha no cotidiano. Antes, apontava para o reinado soberano de Deus sobre o cosmo. Isso fica evidente nas repetidas vezes em que Jesus é retratado participando da vida da sinagoga precisamente no sábado. Tanto Jesus como seus primeiros discípulos — todos eles judeus piedosos do primeiro século — reconheciam a sacralidade do sétimo dia, conforme prescreviam os Dez Mandamentos.

Contudo, a grande questão é que, enquanto as autoridades da época de Jesus se ocupavam em discutir o que era permitido ou não realizar no sábado — e, realmente, esse assunto era amplamente debatido na época[2] —, Jesus não veio meramente afirmar a validade do sábado, mas, sim, inaugurar o descanso escatológico de Deus. Embora Jesus jamais tenha abolido a lei e os profetas, tampouco ele quis simplesmente guardá-los: Jesus veio "cumprir" — "levar à plenitude", conforme o grego *plērōsai* — a realidade para a qual a lei e os profetas apontavam (Mt 5.17). Assim, enquanto alguns líderes de sua época abraçavam uma maneira um tanto ritualista de entender a função do sábado, Jesus vivia na intersecção entre o primeiro descanso de Deus no sétimo dia da criação e o descanso final de Deus no "oitavo" dia da nova criação. Essa é a razão de Jesus realizar tantas curas no sábado: os sinais realizados pelo Messias sinalizavam a

[2] O famoso episódio em que Jesus diz que "O sábado foi feito por causa do homem, e não o homem por causa do sábado" (Mc 2.27) encontra ressonância em uma tradição rabínica posterior, que afirmava a prioridade da preservação da vida sobre a observância restrita do sábado (*b. Menah.* 95-96), e ilustra como o próprio Jesus estava envolvido nesse tipo de discussão.

chegada do reino de Deus, a própria realidade para a qual o descanso sabático apontava.

O evangelista Lucas dá testemunho desse fato ao narrar a pregação de Jesus na sinagoga de Nazaré, "no sábado, como de costume", logo no início de sua missão:

> Quando Jesus chegou a Nazaré, cidade de sua infância, foi à sinagoga no sábado, como de costume, e se levantou para ler as Escrituras. Entregaram-lhe o livro do profeta Isaías, e ele o abriu e encontrou o lugar onde estava escrito:
>
> "O Espírito do Senhor está sobre mim,
> pois ele me ungiu para trazer as boas-novas aos pobres.
> Ele me enviou para anunciar que os cativos serão soltos,
> os cegos verão,
> os oprimidos serão libertos,
> e que é chegado o tempo do favor do Senhor".
>
> Jesus fechou o livro, devolveu-o ao assistente e sentou-se. Todos na sinagoga o olhavam atentamente. Então ele começou a dizer: "Hoje se cumpriram as Escrituras que vocês acabaram de ouvir".
>
> Lucas 4.16-21

A importância dessa passagem fica transparente não somente no fato de que ela marca o primeiro discurso público de Jesus em Lucas, mas também porque, nela, Jesus expõe os termos de sua missão em continuidade com Isaías 61.1-2. Lá no texto profético, Deus anuncia a libertação do povo por meio de um agente ungido pelo próprio Espírito divino. Mais relevante ainda para nossa discussão, porém, é que a missão dessa figura especial consistiria no estabelecimento do Jubileu escatológico, na inauguração do descanso final de

Deus e do povo, onde o *shalom* pleno seria tão denso quanto a presença divina:

> O Espírito do SENHOR Soberano está sobre mim,
> pois o SENHOR me ungiu
> para levar boas-novas aos pobres.
> Ele me enviou para consolar os de coração quebrantado
> e para proclamar que os cativos serão soltos
> e os prisioneiros, libertos.
> Ele me enviou para dizer aos que choram
> que é chegado o tempo do favor do SENHOR
> e o dia da ira de Deus contra seus inimigos.
> A todos que choram em Sião
> ele dará uma bela coroa em vez de cinzas,
> uma alegre bênção em vez de lamento,
> louvores festivos em vez de desespero.
> Em sua justiça, serão como grandes carvalhos
> que o SENHOR plantou para sua glória.
>
> Reconstruirão as antigas ruínas,
> restaurarão os lugares desde muito destruídos
> e renovarão as cidades devastadas
> há gerações e gerações.
> Estrangeiros serão seus servos;
> alimentarão seus rebanhos,
> lavrarão seus campos
> e cuidarão de suas videiras.
> Vocês serão chamados de sacerdotes do SENHOR,
> ministros de nosso Deus.
> Das riquezas das nações se alimentarão
> e se orgulharão de possuírem os tesouros delas.
> Em lugar de vergonha e desonra,
> desfrutarão uma porção dupla de honra.

Terão prosperidade em dobro em sua terra
e alegria sem fim.

"Pois eu, o SENHOR, amo a justiça
e odeio o roubo e a maldade.
Recompensarei meu povo fielmente
e farei com ele aliança permanente.
Seus descendentes serão reconhecidos
e honrados entre as nações.
Todos saberão que eles são um povo
abençoado pelo SENHOR."

É imensa a minha alegria no SENHOR, meu Deus!
Pois ele me vestiu com roupas de salvação
e pôs sobre mim um manto de justiça.
Sou como o noivo com suas vestes de casamento,
como a noiva com suas joias.
O SENHOR Soberano mostrará sua justiça às nações do mundo;
todos o louvarão!
Será como um jardim no começo da primavera,
quando as plantas brotam por toda parte.

Isaías 61.1-11

Ao dizer que essa profecia isaiânica se cumpria naquele momento da história, Jesus afirma que havia vindo iniciar o sábado escatológico.

Consequentemente, além de realizar obras que comprovavam a presença do reino de Deus, Jesus precisou lembrar seus detratores de que o Pai nunca havia deixado de trabalhar para realizar a nova criação:

Então os líderes judeus começaram a perseguir Jesus por não respeitar as regras do sábado. Jesus, porém, disse: "Meu Pai sempre trabalha, e eu também". Assim, os líderes judeus se empenharam ainda mais em encontrar um modo de matá-lo, pois ele não apenas violava o sábado, mas afirmava que Deus era seu Pai e, portanto, se igualava a Deus.

Jesus respondeu: "Eu lhes digo a verdade: o Filho não pode fazer coisa alguma por sua própria conta. Ele faz apenas o que vê o Pai fazer. Aquilo que o Pai faz, o Filho também faz. Pois o Pai ama o Filho e lhe mostra tudo que faz. Na verdade, o Pai lhe mostrará obras ainda maiores que estas, para que vocês fiquem admirados. Pois assim como o Pai dá vida àqueles que ele ressuscita dos mortos, também o Filho dá vida a quem ele quer. Além disso, o Pai não julga ninguém, mas deu ao Filho autoridade absoluta para julgar, para que todos honrem o Filho como honram o Pai. Quem não honra o Filho certamente não honra o Pai, que o enviou.

"Eu lhes digo a verdade: quem ouve minha mensagem e crê naquele que me enviou tem a vida eterna. Jamais será condenado, mas já passou da morte para a vida.

"E eu lhes asseguro que está chegando a hora, e de fato já chegou, em que os mortos ouvirão minha voz, a voz do Filho de Deus. E aqueles que a ouvirem viverão. O Pai tem a vida em si mesmo, e concedeu a seu Filho igual poder de dar vida, e lhe deu autoridade para julgar a todos, porque ele é o Filho do Homem. Não fiquem tão surpresos! Na verdade, vem o tempo em que todos os mortos ouvirão, em seus túmulos, a voz do Filho de Deus e ressuscitarão. Aqueles que fizeram o bem ressuscitarão para terem vida eterna, e aqueles que continuaram a fazer o mal ressuscitarão para serem julgados. Não posso fazer coisa alguma por minha própria conta. Julgo conforme aquilo que Deus me diz. Logo, meu julgamento é justo, pois não faço minha própria vontade, mas a vontade do Pai, que me enviou".

João 5.16-30

Jesus faz essas afirmações em resposta ao questionamento por parte de alguns líderes quanto à cura de um paralítico, que sofreu por quase quatro décadas daquela condição, à beira do tanque de Betesda em um sábado (Jo 5.1-15). Ao dizer que o "Pai sempre trabalha", Jesus não está rejeitando o quarto mandamento, mas, sim, argumentando que o sábado, longe de ser apenas uma obrigação ritualista, aponta para a esperança de que Deus concretizaria seu descanso final, a restauração da criação. E era exatamente aquilo que estava ocorrendo ali, naquele momento, em todas as coisas que Jesus dizia e realizava. Não surpreende que o restante da passagem dê tanta ênfase à autoridade que o Filho tem de ressuscitar os mortos: descanso e *shalom* têm absolutamente tudo a ver com a esperança da vitória sobre a morte.

É da mais profunda relevância, então, que quando Jesus é acusado de "quebrar" o sábado nos Evangelhos é sempre no contexto em que ele está realizando o desejo de Deus de restauração. Tragicamente, por outro lado, alguns dos líderes religiosos de sua época haviam se esquecido de que o sábado deveria apontar para o reinado de Deus e, como resultado, deixaram de se adequar ao "fuso horário" da nova criação.[3] O que santificava o descanso era exatamente aquilo que Jesus estava realizando: a inauguração do reino de Deus e a restauração do mundo.

À luz disso, podemos voltar à série de perguntas que levantamos no início deste capítulo e dizer que existe uma distinção entre Descanso (com "D") e as muitas formas possíveis de descanso (com "d"): Descanso é a realidade para a qual

[3] Metáfora emprestada de N. T. Wright, *João para todos: João 1–10, parte 1* (Rio de Janeiro: Thomas Nelson Brasil, 2020), p. 76-9.

fomos salvos, que experimentaremos na consumação dos séculos; descanso é toda forma de repouso que praticamos em nosso dia a dia, para respirar e recobrar as energias. Já que o Descanso é a base de nosso descanso, nosso descanso só pode ser descanso, no sentido pleno do termo, quando participa do Descanso inaugurado por Jesus. Isso nos leva a entender que, assim como há uma pluralidade de dons e de aptidões que Deus deu a cada um de nós para a realização de nosso trabalho, há também mil e uma maneiras de praticarmos o descanso, segundo nossa personalidade e o funcionamento de nosso organismo. No entanto, qualquer que seja o descanso que mais apreciemos, este só faz sentido quando conectado à esperança que temos no Descanso final que nos aguarda lá na frente. Ben Witherington III explica com eloquência:

> O descanso comum de que precisamos, e esperamos obter todos os dias, nos lembra que somos mortais e frágeis, e que ainda não estamos em nossos corpos ressurretos. [...] Mas essa mesma condição deve nos lembrar diariamente que estamos sendo preparados para um descanso melhor, um descanso maior — de fato, para o descanso de Deus. O descanso comum nos lembra do descanso extraordinário de que temos apenas um antegozo agora, mas que desfrutaremos plenamente mais tarde quando o reino vier.[4]

Isso significa que falar de descanso, para o cristão, não é somente falar de como podemos dar uma pausa na correria

[4] Ben Witherington III, *The Rest of Life: Rest, Play, Eating, Studying, Sex from a Kingdom Perspective* (Grand Rapids, MI: Eerdmans, 2012), p. 39-40, edição Kindle.

do dia a dia a fim de respirar e recobrar as energias. Sim, é vital respirar e recobrar as energias. Muito mais do que isso, todavia, santificar o descanso é praticar a esperança firme que temos na ressurreição de Jesus, estando conscientes daquilo que está reservado a nós no mundo vindouro, na consumação do reino de Deus. Consciente disso, o autor de Hebreus fecha seu argumento na passagem que mencionamos há pouco, fazendo um alerta para que seus leitores permaneçam firmes na Palavra de Deus (Hb 4.11-13). É no apego à Palavra de Deus, cortante ao ponto de discernir as motivações mais profundas do coração humano, que nos fortalecemos na esperança da ressurreição.

Em outras palavras, descanso não é distração vazia, muito menos ritual sem sentido: é uma disciplina sagrada, na qual nos lembramos do sétimo dia da criação e alimentamos nossa expectativa pela consumação do "oitavo" dia da nova criação. E o que conecta nosso descanso de agora ao Descanso futuro é a participação na obra redentiva de Deus que já foi iniciada em Jesus. Descansar não é meramente ficar à toa, sem ter o que fazer. Descansar é orientar toda a nossa vida à luz da segunda vinda de Cristo, de modo a participar daquilo que já foi iniciado em sua primeira vinda. Podemos até nos aposentar de nossas profissões, mas jamais nos aposentaremos do reino de Deus! Quando pensamos na palavra "descanso", portanto, devemos pensar em esperança — esperança na consumação do *shalom* de Deus na ressurreição.

CONCLUSÃO

Discernindo nosso chamado

Nosso esforço neste livro foi direcionado a adquirir uma percepção sobre trabalho — e, por implicação, sobre propósito e descanso — que esteja firmemente ancorada nos atos redentivos de Deus na história. Vimos que, segundo o enredo bíblico da salvação, não há atividade com a qual nos envolvemos no dia a dia que seja irrelevante em nossa tarefa fundamental de produzir *shalom*. Quando toda a nossa vida é compreendida à luz da grande narrativa divina, envelopada entre a criação do cosmo em Gênesis 1—2 e a redenção do cosmo em Apocalipse 21—22, ganhamos uma perspectiva ampliada acerca de nossos afazeres, de modo que nosso trabalho e nosso descanso tornam-se espaços de intersecção entre o mundo presente e o mundo vindouro. Nas Escrituras, nosso trabalho e nosso descanso estão predicados no trabalho e no descanso do próprio Criador, e encontram esperança graças à inauguração do reinado de Deus por meio da vida, morte e ressurreição de Jesus. Trabalhar e descansar, portanto, é honrar nossa identidade como regentes de Deus no cosmo e ter o privilégio de participar de seus propósitos redentivos que serão consumados na segunda vinda de Cristo.

Com tudo isso em mente, podemos concluir essa reflexão identificando alguns caminhos que nos ajudem a discernir como o retrato bíblico sobre o trabalho afeta o entendimento que devemos ter acerca de nosso chamado pessoal. Conforme notamos na introdução, chamado pessoal é um dos assuntos mais em voga — e, infelizmente, deturpados — hoje entre os cristãos, e por isso precisamos fazer algumas observações finais com o intuito de colocar alguns dilemas vocacionais comuns de nosso tempo em conversa com uma teologia bíblica do trabalho.[1]

A primeira coisa a notar é que, antes de desempenhar qualquer tarefa e de ocupar qualquer posição no mundo, fomos chamados a ser um tipo de gente — *nova humanidade* em Cristo. Em um sentido teológico mais amplo, quando a Bíblia usa o verbo "chamar" (*qārā᾽* no hebraico e *kaleō* no grego), tem em vista as intervenções de Deus na história para formar para si um povo que daria continuidade àquilo que o Criador havia desejado na criação. Isso indica que, assim como nosso trabalho reencontra sua significância na obra salvífica de Deus, a definição básica que a Bíblia dá à ideia de chamado também está atrelada à própria salvação. No nível mais fundamental, ser chamado é ser salvo: é ser resgatado da morte e do pecado, é fazer parte do povo de Deus, é receber o privilégio de participar dos planos redentivos de Deus. O apóstolo Paulo pressupõe isso em 1Coríntios 1.2: "Vocês foram chamados por Deus para ser seu povo santo junto com todos que, em toda parte, invocam o nome de nosso Senhor Jesus Cristo, Senhor deles e nosso". Todos nós que estamos em Cristo já somos chamados por Deus — chamados a seguir a Cristo, a imitá-lo, a amadurecer à sua imagem (Ef 4.11-16). E isso tem tudo a ver com a definição de trabalho como prática da esperança: trabalhar com esperança começa com o tipo de gente que somos no trabalho. As histórias de Rute e de José — sem mencionar, obviamente, a de Jesus — dão provas

[1] Leia mais sobre isso em Volf, *Work in the Spirit*, p. 69-122; e Stevens, *The Other Six Days*, p. 71-130.

concretas disso. Tanto o trabalho quanto o chamado que recebemos de Deus têm a ver, sobretudo, com seguir a Jesus.

É crucial entendermos isso, pois é essa definição de chamado como vida com Deus que servirá de ponto de referência primordial para qualquer outra coisa que façamos no dia a dia. Só é possível entender *para que* exatamente fomos chamados nesta ou naquela circunstância, quando antes entendemos que fomos chamados *a pertencer a alguém* e *a se parecer com esse alguém*. Consequentemente, há um chamado que é comum a todos nós — a mim e a você —, independentemente de nossa ocupação e da situação pela qual porventura possamos passar. Pastor ou mecânico, médico ou advogado, empresário ou faxineiro, o chamado maior é para seguir Jesus e crescer à imagem dele. Assim como é impossível falar de trabalho sem falar de discipulado, é impossível falar de chamado sem falar de vida com Cristo. Nosso chamado maior é se parecer com ele. Dessa maneira, nosso chamado fundamental extrapola as atividades profissionais com as quais nos engajamos e sempre contemplará o bem comum — o *shalom* de Deus —, não meramente nossa realização individual. A pessoa que se considera detentora de um chamado pessoal, mas ao mesmo tempo é incapaz de enxergar que sua vida deve estar sempre a serviço de Cristo, entendeu quase nada sobre seu chamado pessoal.

Em seguida, não podemos perder de vista que cada um de nós foi chamado por Deus — cada um de nós foi encontrado pela salvação no evangelho — em contextos particulares e que, portanto, a expressão desse nosso chamado fundamental deve se dar na situação específica em que cada um de nós se encontra. Desse modo, a segunda coisa a se notar é que nosso chamado é sempre *contextual*. Uma vez que o chamado de Deus começa quando a salvação de Deus nos alcança, o chamado de Deus já se aplica onde estamos, aqui e agora, assim como a salvação de Deus nos alcança onde estamos, aqui e agora. É disso que fala o apóstolo Paulo em 1Coríntios 7.17-24:

> Cada um continue a viver na situação em que o Senhor o colocou, e cada um permaneça como estava quando Deus o chamou. Essa é minha regra para todas as igrejas. Se um homem foi circuncidado antes de crer, não deve tentar mudar sua condição. E, se um homem não foi circuncidado antes de crer, não o deve ser agora. Pois não faz diferença se ele foi circuncidado ou não. O importante é que obedeça aos mandamentos de Deus.
>
> Sim, cada um deve permanecer como estava quando Deus o chamou. Você foi chamado sendo escravo? Não deixe que isso o preocupe, mas, se tiver a oportunidade de ficar livre, aproveite-a. E, se você era escravo quando o Senhor o chamou, agora é livre no Senhor. E, se você era livre quando o Senhor o chamou, agora é escravo de Cristo. Vocês foram comprados por alto preço, portanto não se deixem escravizar pelo mundo. Cada um de vocês, irmãos, deve permanecer como estava quando Deus os chamou.

O ponto de Paulo não é que alguns foram chamados *para ser* escravos, mas que alguns foram chamados *enquanto* escravos. E, visto que nosso chamado se define primeiramente por nosso pertencimento a Cristo, não precisamos mudar de circunstâncias para saber que somos chamados ou para viver esse chamado. Nosso chamado já é uma realidade a partir do momento em que somos salvos, e nosso chamado não depende das circunstâncias. De novo, as histórias de Rute e de José ilustram isso com muita eloquência: Rute não se subtraiu de sua lealdade a Noemi baseando-se na falsa ideia de que aquilo "não era o chamado dela", tampouco José desistiu de confiar em Deus, apesar das circunstâncias adversas — escravidão e encarceramento — que o acometeram.

Entretanto, as palavras de Paulo não significam também que estamos presos às circunstâncias, como se nosso chamado exigisse que ficássemos exatamente onde estamos por toda a vida. Se nosso chamado não depende das circunstâncias, certamente também não se reduz a elas. E é aqui que fica ainda mais evidente por que devemos construir nossa compreensão do chamado sobre nossa vocação suprema de seguir a Cristo: somos chamados a lidar com os aspectos de nossas circunstâncias que militam contra o *shalom* de Deus. É por isso que, ao mesmo tempo que Paulo instrui seus leitores a permanecerem onde Deus os chamou, ele também diz que há espaço para mudanças, quando isso condiz com o caráter de Deus — Paulo encoraja os escravos a buscarem liberdade, se isso for possível. Vale lembrar: nosso trabalho de manutenção do *shalom* tem como objetivo expressar os valores do reino que Jesus já inaugurou em sua ressurreição, e isso se traduz de diferentes maneiras, dependendo da situação.

Por outro lado, saber que nosso chamado é contextual nos livra de viver ansiosos, seja tentando descobrir qual é nosso chamado, seja tentando saber exatamente o que faremos em um futuro distante. Sim, devemos planejar e refletir com muita oração sobre onde queremos estar daqui a alguns anos, e, sim, a história que Deus escreve em nossa vida pode desembocar em uma situação completamente diferente da que vivemos aqui e agora. Mas o aqui e agora é parte central dessa jornada — o chamado que Deus tem para nós daqui a alguns anos começa no chamado que Deus já tem para nós hoje. Nosso chamado de amanhã não é "mais" chamado do que nosso chamado de hoje, e somente Deus sabe montar esse quebra-cabeça.

Isso nos faz entender também que nosso chamado é extremamente dinâmico. Chamado não é uma "coisa" que descobrimos de uma vez por todas e, pronto, acabou. Atualmente, há inúmeros "ministérios" de *coaching* cristão que prometem "liberar seu destino" por meio da autodescoberta — ou, na pior das hipóteses, por meio de uma "revelação" esotérica —, como se a história de cada pessoa pudesse ser resumida a algum objetivo individual e pontual, sem perceber que esse sofisma vem da Disney, não da Bíblia. É verdade que há situações em que podemos reconhecer que Deus nos colocou na "hora certa" e no "lugar certo". Mas lembremo-nos do todo das trajetórias de Rute e de José: uma vez que o chamado é sempre contextual, ele terá diversas expressões ao longo da caminhada, dada a estação de vida em que estivermos. Hoje posso trabalhar como pastor de uma igreja e professor de um seminário, mas não sei exatamente como isso se expressará amanhã. Hoje sou pai de duas crianças, e amanhã, com a graça de Deus, serei pai de adultos. O caminho de discipulado a ser percorrido é sempre o mesmo, mas as nuances mudam constantemente.

Por fim, devemos ter em mente que o chamado de Deus não faz de nós pessoas uniformes e monocromáticas. Muito pelo contrário: quando a graça redentiva de Deus nos alcança, ela realça a singularidade de cada um de nós, de modo que os diferentes membros do Corpo de Cristo se complementam na missão de produzir *shalom*. Quando Deus nomeou Adão como cuidador do jardim do Éden, Deus viu que a solidão de Adão não era boa (Gn 2.18). Continuar a obra de Deus de estabelecer *shalom* no mundo só pode acontecer em equipe, porque indivíduo nenhum consegue esgotar essa tarefa. E Deus, em sua infinita sabedoria, criou cada um de nós com características particulares, de modo que cada um de nós tem seu próprio lugar na história que Deus continua a escrever. Essas características particulares incluem tanto nossas habilidades como nossas áreas de interesse. E, não bastasse nos ter dado essas características particulares, Deus ainda capacita os cristãos com dons do Espírito Santo, para que estes possam expressar a multiforme sabedoria de Deus.

A terceira coisa a notar sobre nosso chamado, portanto, diz respeito a nossas *aptidões* particulares. Quando Deus usa alguém, ele usa esse alguém como esse alguém é. Cada um tem uma contribuição particular a fazer no reino de Deus, na promoção de *shalom*, e ninguém esgota o *shalom* de Deus sozinho. Isso nos leva a concluir que nosso chamado envolve, sim, a consciência de nossa singularidade, mas sempre requererá de nós que façamos as pazes não só com nossas qualidades, mas também com nossas limitações. Tentar ser outra pessoa nos distanciará de viver nosso chamado com fidelidade. Ninguém é Corpo de Cristo sozinho. Todos somos membros — todos são importantes. Viver o chamado de Deus requer que estejamos seguros em nossa identidade em Cristo e que façamos as pazes com nossas qualidades e com nossas limitações.

Por implicação, nosso chamado sempre requererá de nós que vivamos em comunidade, porque é no contexto comunitário que podemos conhecer melhor nossas aptidões — é na comunidade que se confirmam os dons que Deus depositou em minhas mãos e as escolhas sensatas que devo tomar em minha vida. Ser conhecido por outros discípulos de Jesus é essencial para meu discernimento. Meu chamado é algo que eu afino e desenvolvo com a ajuda de outros cristãos que me conhecem, que buscam construir o *shalom* de Deus, que vivem na esperança da ressurreição e que, por isso, têm condições de me orientar nesse sentido. Assim também, quanto mais nos aprofundamos em nossas aptidões, melhor servimos o *shalom* de Deus. Faz parte do *shalom* de Deus que aprimoremos nossas habilidades e nos tornemos cada vez melhores no que fazemos!

Em suma, nosso chamado sempre implicará sermos discípulos de Jesus, no contexto onde estamos, aplicando as aptidões que Deus tem nos concedido ao longo de nossa vida e pelo agir do Espírito Santo.

Imitemos os exemplos de Rute e de José. Não nos subtraiamos da tarefa sublime que nos foi confiada de produzir *shalom* e de praticar esperança onde quer que estejamos. Deus tem uma história eterna a escrever em nós e por meio de nós.

Sobre o autor

Bernardo Cho é graduado em Comunicação Social pela Escola Superior de Propaganda e Marketing, mestre em Divindade pelo Seminário Teológico Servo de Cristo, mestre em Novo Testamento pelo Regent College, no Canadá, e PhD em Linguagem, Literatura e Teologia do Novo Testamento pela Universidade de Edimburgo, na Escócia. É professor de Novo Testamento e Teologia Bíblica no Seminário Servo de Cristo, onde também coordena o programa de Estudos Doutorais em Ministério e o Curso Bíblico de Capacitação Ministerial. É pastor da Igreja Presbiteriana do Caminho e autor de *O enredo da salvação*, publicado pela Mundo Cristão.

Obra do mesmo autor:

A leitura individualista e fragmentada do texto bíblico tem impedido aos cristãos uma compreensão mais abrangente de sua fé e de seu papel como cidadãos do reino. Além disso, reduzir a experiência religiosa a um mero carimbo no passaporte para o céu desvia o foco do fato de que o interesse de Deus não se resume apenas ao indivíduo, mas abrange toda a criação.

Nesse sentido, Bernardo Cho convida o leitor e a leitora a refletirem sobre o todo das Escrituras, a fim de perceberem a unidade presente no enredo da salvação. À medida que a grande história é contada, uma visão mais completa e ainda mais magnífica do Criador é revelada, com implicações imediatas sobre nossa vocação e nosso envolvimento no mundo.

Compartilhe suas impressões de leitura,
mencionando o título da obra, pelo e-mail
opiniao-do-leitor@mundocristao.com.br
ou por nossas redes sociais

Esta obra foi composta com tipografia Palatino
e impressa em papel Pólen Natural 70 g/m² na gráfica Imprensa da Fé